知識ゼロからスタート

はじめての宅建

1年後…
○△不動産株式会社
入社式

希望の不動産会社に
入ったぞー！

こうじ君…

こうじ君とは同じ支店ね。
これからよろしくね！
さくら
こうじの同期

ところでこうじ君、
宅建は持ってる？
名前は聞いたこと
あるけど、持ってないよ

えっ、本当に!?　私たちの
業界では常識よ！　私はちゃんと
とったわ！

ははは…大丈夫だよ。
なんとかなるって…
やばい…
どうしよう

初出社の日…
○△不動産

俺がお前たちの
指導係のあきらだ！
あきら
会社の先輩
よろしくお願い
しまーす！

こうじ、お前はまだ
宅建持ってなかったよな
今度の10月の試験で
宅建士に受かるんだ！
え!?

これこれ、あきら君
あんまり新人を
困らせるんじゃないよ

先生！
宅建は難しい試験じゃ。
何年もかけて合格する人も
いれば、1回で合格する
人もいる
よろしくお願い
しまーす！
宅建先生
宅建のことに
とても詳しい

合格の近道はまず、
全体の概要を把握する
ことじゃ
はい！
ありがとう
ございます！

よし！
僕頑張ってみます
本編へ続く…

目 次

■本書は、原則として令和 6 年 8 月 1 日現在で施行されている法令等に基づき編集しています。編集時点から令和 7 年 4 月 1 日（令和 7 年度試験の出題法令基準日〈予定〉）までに施行される法改正や本書に関する正誤等の最新情報などは、下記のアドレスで確認することができます。

随時更新中！

http://www.s-henshu.info/tkmg2409/

試験の概要

注意）この情報は、例年のものであり、変更される場合があります。受験される方は、事前に必ずご自身で試験実施機関が公表する最新情報を確認してください。

1　試験日　例年10月第3日曜日（13:00～15:00／2時間）

2　受験資格　年齢・性別・学歴等の制限は一切なく、だれでも受験できます。
※合格後、登録にあたっては、一定の条件（宅建業法18条）があります。

3　試験の基準・内容　試験は、宅地建物取引業に関する実用的な知識を有し、その知識が、次の内容のおおむね全般に及んでいるかどうかを判定することに基準を置くものとされています。

a（土地・建物の知識2問）土地の形質・地積・地目・種別、建物の形質・構造・種別に関すること。
b（権利変動14問）土地・建物についての権利及び権利の変動に関する法令に関すること。
c（法令上の制限8問）土地・建物についての法令上の制限に関すること。
d（税法2問）宅地・建物についての税に関する法令に関すること。
e（需給・取引実務3問）宅地・建物の需給に関する法令・実務に関すること。
f（不動産の価格の評定1問）宅地・建物の価格の評定に関すること。
g（宅建業法20問）宅建業法・同法の関係法令に関すること。
ただし、宅建業法16条3項の規定による登録講習修了者は、a・eに関する問題（計5問）が免除されます。登録講習については、（一財）不動産適正取引推進機構のホームページで実施団体がわかるので、そちらにお問い合わせください。

4　試験方法　50問4肢択一による筆記試験（マークシート）

5　受験手数料　8,200円

6　試験申込期間　例年7月上旬～中旬（郵送）　7月上旬～末（インターネット）

■試験に関する問合わせ先■

（一財）不動産適正取引推進機構
〒105-0001　東京都港区虎ノ門3丁目8番21号　第33森ビル3階
TEL　03（3435）8181（試験部）
〈ホームページ〉https://www.retio.or.jp/

第1章

権利関係の知識

Theme 1 制限行為能力者制度（せいげんこういのうりょくしゃせいど）

宅建は権利関係（＝民法）の分野から始まります。最初のテーマでは取引において弱者を保護するための制度から見ていきます。

生まれたばかりの赤ちゃんや認知症の高齢者も、私たちと同様に法律行為を行うことはできるのでしょうか。

用語解説 親権者（しんけんしゃ）…未成年の子どもを育てる親のことと考えましょう。

1 権利能力

私たちは日常生活において様々な権利を持ち、同時に様々な義務を負っています。これらの権利を自分のものとし、また、義務を負うために必要な能力のことを**権利能力**といいます。これは、権利を持つ、あるいは義務を負う**資格**と考えるとよいでしょう。私たちは**出生とともに権利能力を持ち、死亡によってそれを失います**。このような権利能力を持つことができるのは、自然人である私たちと、会社などの法人だけです。

2 意思能力

自分が何をしているかを理解し、**正常な判断ができる能力**のことを**意思能力**といいます。民法では、**意思能力のない人**（**意思無能力者**）のした契約などの法律行為は、**無効**とされています。

3 行為能力

契約などの法律行為を単独で有効に行うことができる能力のことを**行為能力**といいます。しかし、すべての人に法律行為の結果を判断し、責任を負うことができる能力があるとは限りません。そこで民法では、①**未成年者**、②**成年被後見人**、③**被保佐人**、④**被補助人**、の４つについて行為能力を制限し、保護者を付けて、保護者の関与なしに行った契約などの法律行為を**取り消すことができる**、**制限行為能力者制度**を定めています。

制限行為能力者の保護が趣旨です

たとえば、未成年者は経験の浅さなどの理由から、自分に不利益な契約を結んでしまう可能性があります。このような制限行為能力者を守るための制度が、制限行為能力者制度です。

話したくなる!　まだ生まれていない胎児（たいじ）には、原則として権利能力は認められません。しかし、例外的に相続（91ページ参照）等について、胎児は生まれたものとみなされ、権利能力を有することになります。

4 制限行為能力者制度

（1）未成年者

満 **18 歳**未満の者は**未成年者**と定められています。なお、婚姻（結婚）できるのも、男女ともに 18 歳になってからです。

未成年者がその法定代理人の同意を得ないで行った法律行為は、原則として**取り消す**ことができます。例外として、以下の場合には、未成年者が単独で行った場合でも取り消すことができません。

未成年者が単独で行っても取り消すことができない行為

行為の種類	具体例
①単に権利を得て、または義務を免れる法律行為	・贈与を受ける場合 ・借金を減らしてもらう場合
②目的を定めて処分を許された財産の処分	参考書を買うように言われてもらったお金で参考書を買う
③目的を定めないで処分を許された財産の処分	好きなものを買うように言われてもらったお金で買い物をする
④法定代理人から営業の許可を受けて行う、その営業に関する行為	宅建業に関して営業の許可を受けて行う、宅建業の営業に関する法律行為

未成年者の法定代理人は、通常は**親権者**です。親権者がいない場合やふさわしくない場合には、家庭裁判所によって未成年後見人が法定代理人として選任されます（代理については 22 ページ参照）。

未成年者の法定代理人は、代理権、同意権、取消権及び追認権を有します。

（2）成年被後見人・被保佐人・被補助人

精神上の障害により判断能力に問題がある人に対しては、その重さの程度によって、次のように分類され、それぞれ保護されるようになっていま

用語解説　追認権…単独で有効な法律行為を行うことができない者が行った法律行為について、法定代理人が取り消さずに、その行為は有効のままでよいとする権利です。「追」って、「認」めるということですね。

す。この審判(しんぱん)は、本人や配偶者などからの請求に基づき、家庭裁判所が行います。

被保護者	対象となる状態	法定代理人
成年被後見人	精神上の障害により事理(じり)を弁識(べんしき)する能力を**欠く常況(じょうきょう)**にある（重度の精神障害者など）	成年後見人
被保佐人	精神上の障害により事理を弁識する能力が**著しく不十分**	保佐人
被補助人	精神上の障害により事理を弁識する能力が**不十分**（軽度の認知症患者など）	補助人

成年後見人は、**法人**でもよく、**複数人**選任することもできます。

なお、成年後見人には、代理権、取消権及び追認権がありますが、**同意権はありません。**

というのも、「同意権」というのは、本人（成年被後見人）が行おうとしている法律行為について、成年後見人があらかじめ「いいよ！」という権利と考えればわかると思います。つまり、仮に成年後見人が「いいよ！」と言って同意を与えたとしても、成年被後見人は、本当にそのとおりの行為を行えるかどうか、あやしいからです。

被保佐人には保佐人が付され、取消権、追認権及び同意権を有します。被保佐人は、原則として、単独で有効に法律行為をすることができます。

重要な財産上の法律行為

重要な財産上の法律行為として代表的なものは次のとおりです。

①不動産その他重要な財産に関する権利を得たり失ったりすることを目的とする行為をすること

②贈与(ぞうよ)の申込みを拒絶し、遺贈(いぞう)を放棄し、負担付贈与の申込みを承諾し、または負担付遺贈を承認すること

用語解説　贈与と遺贈…贈与とは、Aさんが B さんへ財産をタダであげることです。A さんが「あげるよ」と意思表示し、B さんが「もらいます」と意思表示することで成立します。遺贈は A さんが遺言で「あげるよ」と意思表示を行うことです。

家庭裁判所の許可が必要になる！
成年後見人、保佐人、補助人が本人を代理して、その居住の用に供する不動産の売却、賃貸、賃貸借の解除、抵当権の設定その他これに準ずる処分をするときは、家庭裁判所の許可を受けなければなりません。これは、住み慣れた居住環境を失うと、本人へ精神的に大きなダメージを与えるためです。

例外的に、**重要な財産上の法律行為**については、保佐人の同意または裁判所の**代諾許可**（だいだくきょか）（保佐人に代わって、裁判所が被保佐人の取引行為を認めること）が必要とされます。

被補助人は、原則として、**単独で有効に法律行為をすることができます。**逆に言えば、判断能力が不十分であるとはいえ、単独で有効な行為ができない状態「でもない」ということです。そして、例外的に、**家庭裁判所が審判で指定した特定の行為**を補助人の**同意**または代諾許可なしに行ったときは、その行為は取り消すことが**できます。**

家庭裁判所は、本人以外の者が請求した場合は、**本人の同意**を要件として、特定の法律行為について、補助人に同意権を与える旨の審判をすることができ、補助人に同意権が与えられた行為を被補助人が単独で行ったときは、補助人は取り消すことが**できます。**

なお、家庭裁判所は、特定の法律行為について保佐人や補助人に代理権を与える旨の審判をすることができます。

（3）制限行為能力者の詐術（さじゅつ）

詐術とは、ウソをつくことと考えてください。制限行為能力者が、自らが行為能力者であると信じさせるために詐術を用いたときは、その行為を取り消すことが**できません。**制限行為能力者がウソをついた場合にまで、その者を保護する必要はないからです。

用語解説 詐術…制限行為能力者が、自らが行為能力者であるとウソをつくことや、制限行為能力者であるけれども、法定代理人や保佐人の同意を得ているとウソをつくことです。

平成28年度　問2

制限行為能力者に関する次の記述のうち、民法の規定及び判例によれば、正しいものはどれか。

4　被補助人が、補助人の同意を得なければならない行為について、同意を得ていないにもかかわらず、詐術を用いて相手方に補助人の同意を得たと信じさせていたときは、被補助人は当該行為を取り消すことができない。

この選択肢4は**正しい**です。被補助人に限らず、制限行為能力者が行為能力者であると信じさせるためウソをついたときは、その行為を取り消すことが**できなくなります**。

5 責任能力（せきにんのうりょく）

責任能力とは、自分が行った行為の結果として、どのような責任が発生するかを認識することができる能力をいいます。

責任能力の有無・程度には個人差がありますが、一般的には12歳程度に達すれば責任能力を備えていると考えられています。

このテーマのまとめ

- 民法上、能力といった場合には、①権利能力、②意思能力、③行為能力、④責任能力がある。
- 制限行為能力者には、①未成年者、②成年被後見人、③被保佐人、④被補助人の4つの種類があり、民法では、制限行為能力者を保護するための規定が定められている。

話したくなる！　家庭裁判所に本人以外が補助開始の審判を申し立てる場合、本人の同意が必要となります。少し判断能力が劣るのみなので、本人の意思の確認が必要と考えておきましょう。ここは試験でも出ます。

Theme 2

意思表示（いしひょうじ）

自分の本心ではないのに「土地を売ってあげるよ」と言ってしまった場合や、誰かにだまされて契約をしてしまった場合、法律ではどのような結果になるのでしょうか。

当事者と相手方、そして第三者の関係によって、取引は無効になったり取り消されたりする場合があります。詳しく見ていきましょう。

用語解説　善意と悪意…法律上、「善意」という場合は、単に知らないこと、「悪意」という場合は、単に知っていることを意味します。「悪意」と書いてあるからといって、何か悪いことを考えているというわけではありません。

1 心裡留保（しんりりゅうほ）

心裡留保とは、**表意者**（ひょういしゃ）（意思表示をする者）が、**本心を心の中に隠して、相手方にウソの表示**をすることをいいます。たとえば、AがBに売る気がないのに「土地を安く売ってあげよう！」というような場合です。

（1）心裡留保の効果（こうか）

心裡留保による意思表示は、原則として有効とされます。つまりこの場合、AさんはBさんに土地を安く売ってあげなければいけません。しかし、相手方（B）がその意思表示が表意者（A）の真意ではないことを**知っていた**（悪意）、または普通に注意していれば**知ることができた**ときには、例外的に、Aさんの「売りますよ」という意思表示は**無効**となり、売買契約も**無効**となります。

Aさんが売る意思がないのに自分の土地をBさんに売ると約束した場合

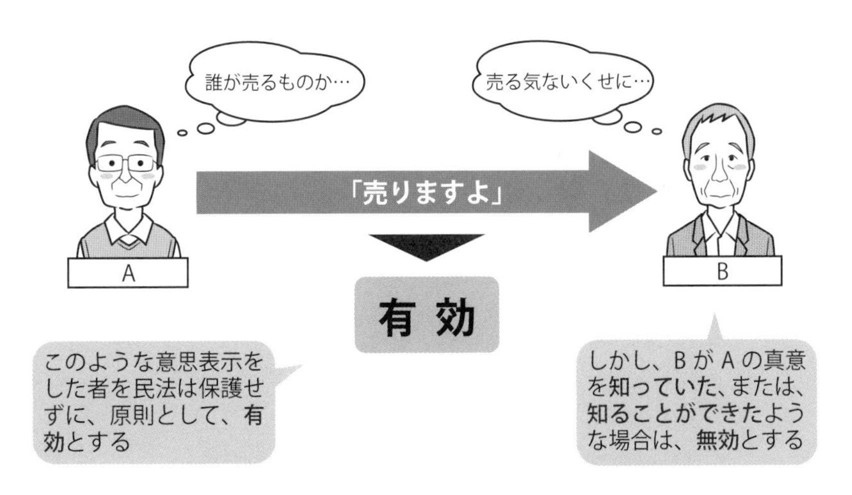

話したくなる！ 取消しと無効は同じ意味であるように思えるかもしれませんが、「取消し」は取り消すまで契約の効力は有効であり、取り消してはじめて「無効」となります。

（2）心裡留保と第三者との関係

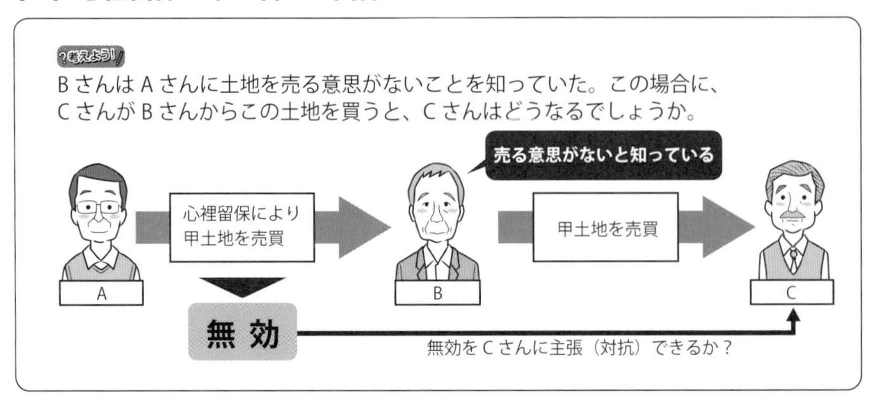

この場合、ウソをついた表意者（A）を保護する必要はありませんが、そのウソを信用した第三者（C）は保護する必要があります。このため、第三者 C さんが**善意**であれば、A さんは意思表示が無効であると C さんに主張することが**できません**。

2 通謀虚偽表示

通謀虚偽表示とは、相手方と通謀して（話を合わせて）本心とは違う意思を表示することをいいます。たとえば、A が債権者の差し押さえを免れるために、B と通謀して AB 間に甲土地の売買契約があったように仮装して所有名義を移した場合（仮装譲渡）がこれにあたります。

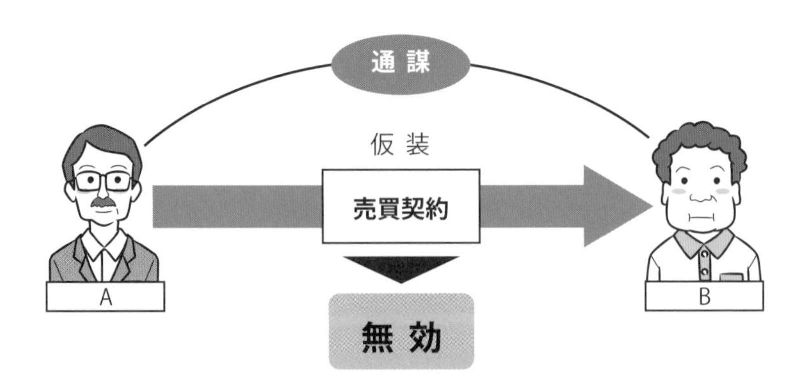

話したくなる！ 心裡留保に基づく意思表示は、原則として「有効」です。意外に思うかもしれませんが、その気もないのに売ると言った人に対して、後から「あれはウソだった」という言い訳を認めずに、そのまま有効にしてしまうのが民法のスタンスです。

（1）通謀虚偽表示の効果

通謀虚偽表示による意思表示は**無効**とされています。

（2）通謀虚偽表示と第三者の関係

ここではまず、過去問を見てみましょう。

過去問　平成30年度　問1　改題

> AがBに甲土地を売却した場合に関する次の記述のうち、民法の規定及び判例によれば、正しいものはどれか。
>
> 3　AB間の売買契約が仮装譲渡であり、その後BがCに甲土地を転売した場合、Cが仮装譲渡の事実を知らなければ、Aは、Cに虚偽表示による無効を対抗することができない。

この3は**正しい**選択肢です。図で見てみましょう。

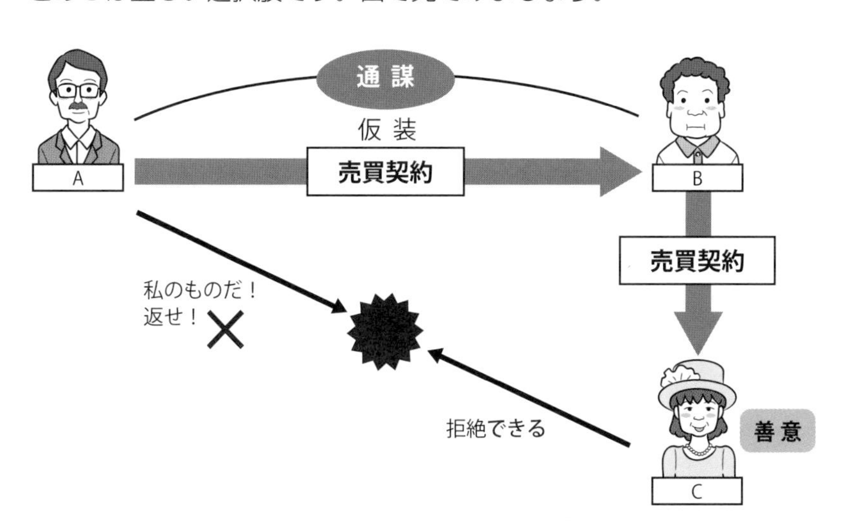

AB間の売買契約は仮装譲渡であり、通謀虚偽表示として**無効**となるのが原則ですが、Cが**善意**である場合には、AはCに対して、AB間の売買契約の無効を主張することはできません。

話したくなる！ 心裡留保と異なり、通謀虚偽表示は、原則として「無効」となります。売主と買主で口裏を合わせて仮装した契約について、わざわざ有効な契約として法律で保護する必要はないというスタンスです。

3 錯誤(さくご)による意思表示

錯誤とは、表意者の心の中で思っていることと、意思表示した内容が食い違っていることを本人が知らないことです。心の中で思っていることとは違うことを誤って表示してしまうことを**錯誤による意思表示**といいます。民法上、錯誤の形には2種類あります。

(1) 意思表示に対応する意思を欠く錯誤

たとえば、100 ユーロというべきところをついうっかり 100 ポンドといった場合などがこれにあたります。

この場合、その錯誤が、法律行為の目的及び取引上の社会通念に照らして重要なものであるときは、その意思表示を**取り消す**ことができます。

(2) 動機(どうき)の錯誤

たとえば、A が近い将来甲土地に国道が通ると誤解し、値上がりを期待して、B から甲土地を買う場合などがこれにあたります。この場合、甲土地を買うことについては錯誤はありませんが、その動機である国道が通ることについて錯誤があります。

その錯誤が、法律行為の目的及び取引上の社会通念に照らして重要なものであるときであって、かつ、その事情が法律行為の基礎とされていることが**表示**されている場合には、**取り消す**ことができます。

先の事例でいうと、A が甲土地は近い将来国道が通る土地であると思い違いをして B から高額で甲土地を購入した場合、その土地に国道が通るかどうかは取引上重要なことなので、A が B に対して「甲土地に近い将来国道が通るから買います」と事情を**表示**して意思表示した場合には、A は売買契約を**取り消す**ことができます。

(3) 錯誤による取消の制限

錯誤が表意者の重過失＝**重大な過失**（不注意）による場合には、相手方を保護する必要があるので、表意者は錯誤による意思表示の取消しをする

用語解説 動機の錯誤…上の説明だけでは少しわかりにくいかもしれませんが、要するに、表示された意思表示の内容自体に誤りはありませんが、そのような意思表示をする“きっかけ”に勘違いがあったような場合をいいます。

ことができません。

もっとも、相手方が表意者に錯誤があることについて**悪意**または知らなかったことにつき**重過失**があった場合、あるいは相手方が表意者と**同一の錯誤**に陥っていた場合には、相手方を保護する必要がないので、表意者は錯誤による意思表示を取り消すことが**できます**。

（4）錯誤による取消しと第三者との関係

表意者が錯誤による取消しを主張することができる場合であっても、**善意**かつ**無過失**の第三者には、錯誤による取消しを主張することはできません。

4 詐欺（さぎ）・強迫（きょうはく）による意思表示

詐欺による意思表示とは、意思表示の相手方にだまされてした意思表示のことをいい、**強迫**による意思表示とは、脅されて強制的に意思表示させられた場合をいいます。

（1）詐欺・強迫による意思表示の効果

詐欺・強迫による意思表示は、**取り消す**ことができます。

しかし、第三者による詐欺の場合に表意者が取り消すことができるのは、相手方が詐欺の事実を**知っていた**、または**知ることができた**場合（**悪意**または**過失**がある場合）に限られます。

たとえば、ABの取引にまったく関係のない部外者Cさんが、Aさんをだましたことで AB間の契約が成立した場合、CさんがAさんをだましたことを相手方Bさんが**知っていた**、または**知ることができた**場合に限って、AはAB間の契約を取り消すことができます。

第三者の強迫による意思表示は取り消せる

第三者による強迫の場合には、相手方の善意・悪意、過失の有無を問わず、**常に取り消す**ことができます。

話したくなる! 詐欺に関連した言葉として、欺罔（ぎもう）という言い方があります。いずれも人をだますことですが、宅建士試験では問題文の中で「欺罔行為」といった使われ方をすることがあります。

(2) 詐欺による取消しと第三者との関係

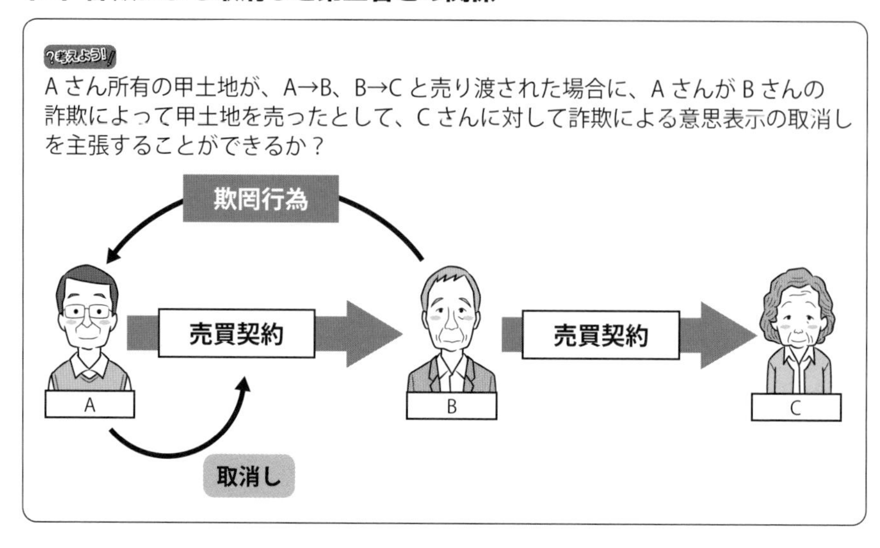

民法上、詐欺による意思表示の取消しは、**善意無過失**の第三者に主張することができません。すなわち、AがBの詐欺により意思表示したことについてCが**善意無過失**である場合には、AはCに対して取消しを主張することができないのです。

このテーマのまとめ

契約のような法律行為は、当事者の申込みと承諾の意思が合致すれば、有効に成立する。しかし、当事者の意思表示が正常に行われなかった場合、当事者を保護する必要があることから、民法は、意思表示が正常に行われなかった場合を①心裡留保、②通謀虚偽表示、③錯誤、④詐欺、⑤強迫に類型化して、当事者保護と取引の安全を図る規定を定めている。

話したくなる! 不注意で知らなかったことを善意有過失、不注意もなく知らなかったときは善意無過失といいます。

Theme 3 代理（だいり）

不動産取引についてよくわからない当事者に代わって、第三者が代理人となる場合があります。どういう場合に代理が有効に成立し、どういう場合に成立しないのか見てみましょう。

代理について考えるときは本人と相手方、そして代理人との関係を頭の中で整理していく必要があります。

用語解説　代理権…代理人の法律行為の効果を直接本人に帰属させることのできる権限のことです。

1 代理とは

代理とは、**自分に代わって他人に法律行為をしてもらい**、その**法律効果を自分が受ける**制度のことをいいます。

たとえば、Aが土地を売りたいと考え、Bに代理権を与えて「自分の代わりに土地を売ってほしい」と頼んだところ、BがAの代理人として、Cとの間で売買契約を締結するような場合です。**Aを本人、Bを代理人、Cを相手方**といい、**本人Aと相手方Cとの間に売買契約が成立**することになります。

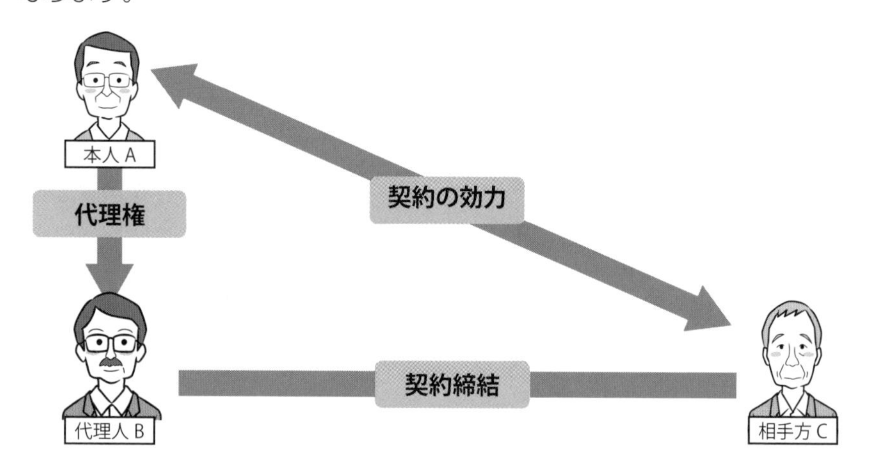

2 代理行為の要件

代理人が行った法律行為の効果を本人が受ける（本人に帰属させる）ようにするためには、①代理人に代理権があること、②代理行為が有効に行われたこと、③**顕名**が行われたことが必要です。

（1）代理人に代理権があること

代理権がどのようにして与えられるかによって、**法定代理**と**任意代理**とに分けることができます。また、代理人は与えられた代理権の範囲でのみ本人を代理することができます。

用語解説　法定代理と任意代理…「法定代理」とは、本人の意思とは関係なく、法律上、代理人が決まる場合の代理です。子どもに対する親権者などが例です。「任意代理」とは、本人が意図して、誰かに法律行為を行ってもらう場合の代理です。

法定代理人の代理権の範囲は、法によって定められています。任意代理人の代理権の範囲は、その依頼の内容によって範囲が決定されます。依頼の内容が不明確な場合、代理人は**保存行為**と、代理の目的である物または権利の、性質を変えない範囲での**利用行為**・**改良行為**をすることができます。これらの行為は本人に不利益を与えるものではないからです。

	定　義	具体例
保存行為	財産の現状を**維持**する行為	家屋の修繕（しゅうぜん）を業者に請（う）け負（お）わせる
利用行為	物または権利を利用して**収益**を図る行為	利息付きで金銭を貸す
改良行為	物または権利の利用価値あるいは交換価値を**増加**させる行為	家屋に造作（ぞうさく）（畳・戸・障子など）を施（ほどこ）す

また、代理人が自分自身を相手方とする契約を締結したり（**自己契約**）、売主と買主の双方の代理人を同時に引き受けたり（**双方代理**）することは、代理権を有しない者がしたものとみなされ、原則として、**本人に法律行為の効果が帰属しません**。もっとも、**債務の履行（りこう）**及び本人が**あらかじめ許諾（きょだく）**した行為については、例外的に代理権が認められます。

さらに、**代理人と本人との利益が相反（そうはん）する行為**についても、**代理権を有しない者がした行為**とみなされます。もっとも、本人が**あらかじめ許諾**した行為については、例外的に代理権が認められます。

(2) 代理行為が有効に行われたこと

代理行為の場合、相手方に対する意思表示は代理人が行います。そこで、代理行為について無効や取消しの原因となる事情については、**代理人**について判断されます。たとえば本人がだまされなくても、代理人がだまされれば、詐欺による取消しができます。

ただし、**制限行為能力者が代理人として行った行為**は、他の制限行為能

用語解説　顕名（けんめい）…代理が成立する要件です。要するに、代理人が「私は○○の代理人として行っていますよ」と相手方に表示する行為のことです。これがないと、相手方はその代理人と直接契約等を行っているものと考えてしまいます。

力者の法定代理人としてした行為を除き、行為能力の制限を理由としては**取り消すことができません**。

(3) 顕名(けんめい)が行われたこと

代理人が代理行為をするためには、**相手方に本人のためにすることを示さなければなりません**。これを**顕名**といいます。

顕名をしなかった場合、すなわち本人のためにすることを示さなかった場合には、**代理人が自分のためにしたものとみなされます**。もっとも、相手方が代理人が本人のためにすることを知り、または知ることができたときは、例外的に本人に法律効果が帰属することになります。

3 復代理(ふく)

代理人が代理権の範囲内の行為を行わせるために、さらに代理人を選任することをいいます。復代理人の行為の効果は直接本人に帰属します。

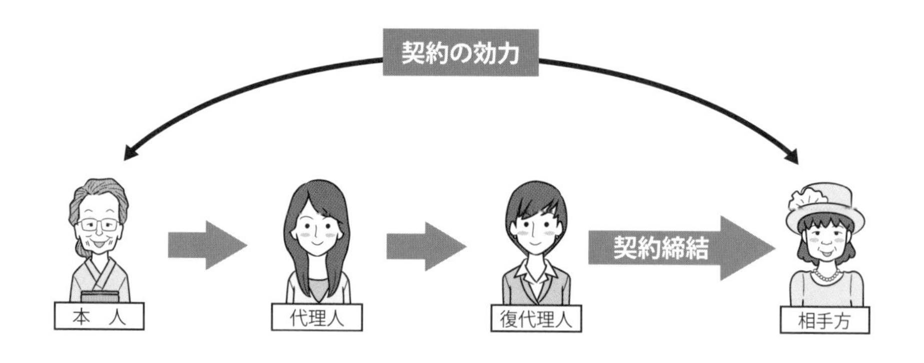

(1) 法定代理人の場合

法定代理人は、いつでも自己の責任で復代理人を選任することができます。この場合に代理人は、原則としてすべての責任を負いますが、やむを得ない事由があって復代理人を選任したときは、本人に対してその選任及び監督についてのみ責任を負います。

話したくなる! 本人が未成年者で、代理人が親権者といった法定代理の場合では、代理人が制限行為能力者であれば本人を保護する必要があるので、代理行為の取消しをすることができます。

(2) 任意代理人の場合

任意代理人は、原則として復代理人を選任できませんが、**本人の許諾**を得たときまたは**やむを得ない**事由があるときのみ、復代理人を選任することができます。本人が「その人」に代理を依頼していることが通常なので、代理人は勝手に代理行為を下請けに出せないと考えましょう。

任意代理人が復代理人を選任した場合、任意代理人は本人に対して**債務不履行**に基づく責任を負うこととなります。債務不履行とは契約した内容の債務を履行しないことであり、債務不履行が成立すると、債権者は債務者に対して、損害賠償を請求することなどができます（54ページ参照）。

4 代理権の消滅

以下の事由が発生したとき、代理権は消滅します。

		法定代理	任意代理
本人についての消滅事由	本人の死亡	消滅する	消滅する
	破産手続開始の決定	**消滅しない**	消滅する
代理人についての消滅事由	代理人の死亡	消滅する	消滅する
	後見開始の審判を受けたこと	消滅する	消滅する
	破産手続開始の決定	消滅する	消滅する

5 無権代理

代理権がないのに代理人として行為をした場合をいいます。無権代理行為の法律効果は、原則として、本人には帰属**しません**。

民法上、無権代理の場合に本人が取りうる手段と相手方の取りうる手段が定められています。

話したくなる! 上の「代理権の消滅」の表を見ると、代理権が「消滅しない」のは、「法定代理」の場合の「本人」に「破産手続開始の決定」がなされた場合のみです。それ以外の事由では、代理権が消滅すると考えておきましょう。

（1）本人が取りうる手段

本人には、**追認する権利（追認権）**が認められています。本人が無権代理行為を追認した場合には、無権代理行為は契約の時にさかのぼって効力を生じることになります。追認は相手方にも無権代理人にもできますが、無権代理人にしたときは、相手方が追認したことを知るまでは相手方に追認を主張できません。

（2）相手方が取りうる手段

無権代理の相手方は、本人に対し、相当な期間を定めて、無権代理人の行った行為を追認するかどうかをはっきりと答える（確答（かくとう）する）よう要求（催告（さいこく））することができます。これを**催告権**といいます。

そして、**相当の期間内に本人が確答しない**ときは、**追認を拒絶**したものとみなされ、**本人に対して効力が生じない**ことが確定します。

また、相手方が無権代理人に代理権がないことを知らない（**善意**）ときは、本人が追認する前に限り、契約を取り消すことができます。これを**相手方の取消権**といいます。

さらに相手方は、以下の５つの要件を満たしている場合に限って、無権代理人に対して、契約の**履行**または**損害賠償**の責任を追及することができます。

①	代理人が自己の代理権の存在を証明することができないこと
②	本人の追認を得ることができないこと
③	相手方が無権代理人に代理権がないことを**知らない**こと（**善意**）
④	相手方が無権代理人に代理権がないことを**過失なく知らない**こと（**無過失**） ただし、無権代理人が自分に代理権がないことを知っていたときは不要
⑤	無権代理人が行為能力者であること

用語解説 催告…相手に対して一定の行為をするよう求めることです。

無権代理人と取引した相手方が取りうる手段のまとめ

	内　容	行使するための主観的要件
催告権	相当の期間を定めて、本人に対して追認するかどうか催告することができる権利。 →期間内に返事がない場合は、**追認拒絶**とみなされる。	善意無過失である必要が**ない**。
取消権	無権代理人との間で行った法律行為を取り消すことができる権利。 →本人が追認した場合は、初めから有効だったことになるので、取り消せない。	**善意**である必要がある。 無過失であることまでは**不要**。
無権代理人の責任追及	無権代理人に対して、契約の履行**または**損害賠償を請求する権利。	**善意無過失**である必要がある（ただし、**無権代理人**自身が、自分に代理権がないことを**知っていた**場合には無過失までは**不要**となる）。

このテーマのまとめ

・代理には、法定代理と任意代理の2種類がある。
・代理人が行った法律行為の効果が本人に帰属するためには、①代理人に代理権があること、②代理行為が有効に行われたこと、③顕名が行われたことが必要となる。

話したくなる！　無権代理人の行為でも相手方が本当の代理人であると信用し、そのことにつき本人に責任がある場合に、本人に代理の効果を及ぼす制度を表見（ひょうけん）代理といいます。

Theme 4
時効（じこう）

民法では、時の経過により権利を取得することができたり、時の経過により権利が消滅したりすることがあります。そしてこれらを時効と呼んでいます。

時効は、過去のできごとを「あのことはもう時効だよ」と言うように、感覚的につかみやすいテーマだと思います。

用語解説　取得時効と消滅時効…時の経過により権利を取得する時効を「取得時効」、時の経過により権利が消滅する時効を「消滅時効」といいます。

1 時効とは

時効とは、期間の経過のほか、当事者の意思による援用といった一定の要件を満たす場合に、**権利の取得**（**取得時効**）や**権利の消滅**（**消滅時効**）という法的な効力を発生させる制度のことです。

時効が完成すると、その**効力は起算日（時効の期間が進行を開始する日）にさかのぼって生じます**。つまり、取得時効の場合には、時効による取得者は、起算日から権利を有していたことになり、消滅時効の場合には、起算日から権利を有していなかったことになります。

所有権の取得時効が成立するには次の要件が必要です。①**所有の意思**をもって②**平穏**（へいおん）**かつ公然**（こうぜん）と③他人の物を **20 年間占有**すれば所有権を時効取得でき、また、占有開始時に善意かつ無過失であれば 10 年間の占有で時効取得することができます。

一方で、債権の消滅時効が成立するには次の要件が必要です。①債権者が権利を行使することができることを**知った時から 5 年間**行使しないとき、②権利を**行使することができる時から 10 年間**行使しないとき、のいずれか早いときです。

2 時効の援用（えんよう）

（1）時効の援用

時効の援用とは、時効によって**利益を受ける者**が**時効の利益を受ける意思を表示**することをいいます。単に期間が経過するだけでは時効の効果は発生しません。

（2）時効の援用権者（えんようけんじゃ）

時効を援用することができるのは、当事者（消滅時効にあっては、保証人等を含む）とされています。

用語解説　平穏かつ公然と占有…無理やり奪ったり、こっそりと自分のものにしたりしていないということです。

（3）時効の利益の放棄

時効の利益の放棄とは、時効の援用の逆で、時効による利益を受けないという意思表示のことをいいます。時効の利益は、**時効完成前に、あらかじめ放棄することができません。**

また、判例では、**時効の利益の放棄**は、時効の完成を**知った**うえでなされなければならないとしたうえで、**時効完成後**に**その事実を知らずに**債務者が**債務を承認**した場合、「相手方（債権者）も、債務者はもう時効を援用しないだろうと期待を抱くことから、信義則（しんぎそく）上、その債務について時効を援用することは**許されない**」としています。

過去問　平成30年度　問4　改題

> 時効の援用に関する次の記述のうち、民法の規定及び判例によれば、正しいものはどれか。
>
> 1　消滅時効完成後に主たる債務者が時効の利益を放棄した場合であっても、保証人は時効を援用することができる。

時効は、当事者が援用することができ、**保証人**も、消滅時効についてはここでいう「当事者」に含まれ、**時効を援用することができます**。そして、**時効の利益の放棄**の効力は、相対的である（相対効（そうたいこう））ため、**放棄をした者のみが援用権を失う**だけであって、主たる債務者が時効の利益を放棄した場合でも、**保証人は時効を援用することができます**。よって、選択肢1は**正しい**選択肢です。

「相対効」と「絶対効」

「相対効」とは、何かしらの行為等が他人に効力を及ぼさないもので、「絶対効」とは、逆に他人に効力を及ぼすものです。もし時効の利益の放棄が「絶対効」である場合、主たる債務者の時効利益の放棄の効力が、保証人にも及び、保証人は主たる債務の消滅時効を援用できなくなります。

用語解説　信義則…権利の行使や義務の履行は、信義に従って誠実に行わなければならないという意味で、「信義誠実の原則」の略称です。

3 時効の完成猶予及び更新

（1）時効の完成猶予・更新

消滅時効の進行をくつがえすようなことが起きた場合、一定の期間は時効は進行せずに完成しないとすることを、**時効の完成猶予**といいます。一時停止のイメージです。裁判上の請求や支払督促、強制執行、催告などの事由があります。

他方、**進行していた時効を振出しに戻す**ことを**時効の更新**といいます。まさに**ゼロからの再スタート**となる、時効の進行がリセットされるイメージです。裁判上の請求や支払督促について確定判決等で権利が確定したこと、強制執行の終了、承認などの事由があります。

（2）時効の完成猶予または更新の効力が及ぶ者の範囲

時効の完成猶予または更新は、完成猶予または更新の事由が生じた当事者とその承継人の間においてのみ、その効力を有します。つまり、当事者以外の人たちには、特別な規定がない限り、時効の完成猶予と更新の効力は影響しない、相対的効力であるということです。

このテーマのまとめ

- 時効には、時の経過により権利を取得する取得時効と、時の経過により権利が消滅する消滅時効がある。
- 時効によって利益を受ける者が時効の利益を受ける意思を表示することを時効の援用という。
- 消滅時効の進行をくつがえすようなことが起きた場合、一定の期間は時効は進行せずに完成しないとすることを、時効の完成猶予という。

話したくなる! 時効の利益が時効完成前にあらかじめ放棄できないのは、あらかじめ時効の利益を放棄できるとしてしまうと、時効の完成によって不利益を受ける者がそれを防止するため、あらかじめ、無理やり時効の利益を放棄させる可能性があるからです。

Theme 5 物権変動とその対抗

物権とは、特定の物を直接的・排他的に支配する権利です。強い権利であるがゆえ、それが誰のもとにあるのかを主張（対抗）するための要件が問題となります。

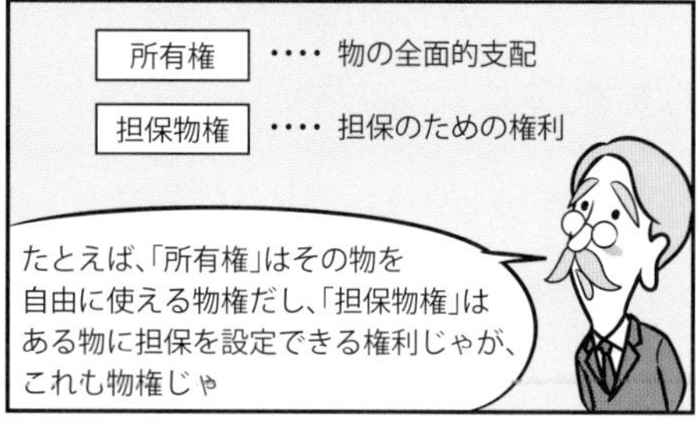

いわゆる物権に関する対抗関係は、毎年のように出題される重要テーマです。まずは基本的な知識の理解から始めましょう。

用語解説 物権変動…不動産の場合は、所有者が変わったり、土地に地上権が設定されたりすること、つまり不動産についての物権的な権利関係が変更されることをいいます。

1 その物を自由にできる権利と考えればよい

物権とは、**特定の物を直接的・排他的に支配する権利**のことをいい、所有権や抵当権などがあります。排他的とは、自分が独占できるというイメージです。あるモノに対して物権を持っているということは、現実的には制限がありますが、その物を自由にできる権利がある、というイメージでよいでしょう。

2 「不動産（ふどうさん）」に関する物権の変動の対抗要件（たいこうようけん）

「不動産」に関する物権の得喪（とくそう）（取得や、手放すこと）**及び変更**、つまり不動産の所有者が変わった場合などには、**誰から見てもそのことがわかるように登記（とうき）をしなければ、自らが所有権者であることを第三者に対抗できません**。ここでいう「対抗」とは、張り合うといった意味ではなく、相手方に「勝つ」という意味と考えておきましょう。

たとえば、AがBから甲土地を入手後、登記をしていなかったとします。それを見たBが、事情を知らないCに、甲土地を売却して、Cが甲土地の所有権登記をしてしまったという、二重譲渡（にじゅうじょうと）のケースを考えてみましょう。

この場合、**甲土地の所有権登記をしていなかったAは**、何も知らずにその甲土地を購入し、登記まで行ったCに対して、**「私が所有者である」と主張できない**のです。

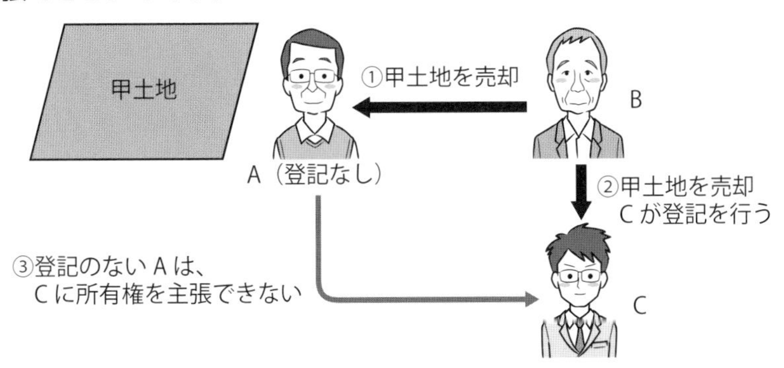

用語解説 登記…土地や建物の所在・面積といった状況や、権利関係などについて、公の帳簿である登記簿に記録する制度のことです。この登記記録は、手数料を払えば誰でも見ることができます。

ちなみに、どのような人であっても、登記をしなければ、対抗することができない「第三者」になるわけではありません。

民法 177 条に規定する「第三者」とは、**相手方に登記がないことを主張する正当の利益を有する者**と、解釈により制限されています。たとえば、**不法に不動産を占拠（せんきょ）する者（不法占拠者）**は、まったくの無権利者であり、正当の利益を有しないことから、**同条の「第三者」に該当しません**。その結果、**不法占拠者に対しては、登記がなくとも物権を主張（対抗）できます**。

民法 177 条の「第三者」に該当しない例

以下の者は「第三者」に該当しないので、登記なくして物権の得喪・変更を主張することができます。

①詐欺または強迫によって登記の申請を妨げた第三者
②他人のために登記を申請する義務を負う第三者
③背信的悪意者（単なる悪意者であれば「第三者」に該当します）

3 対抗要件としての登記が必要な場合と不要な場合

上で述べたように、登記がなくても、物権を主張（対抗）できるケースがあります。物権を主張（対抗）するために、登記が必要なケースか否かに関する主なケースをいくつか確認しましょう。

（1）二重譲渡と登記

もともと民法 177 条が予定している場面は、**物権の二重譲渡**があった場合です。**前ページの図の例**がそうであり、売主がある不動産を **2 人に売却**してしまった場合です。

もし、**前ページの図の例**で、**C も登記を有していなかった**場合、**A は C に所有権を主張できませんし、C も A に所有権を主張することができません**（対抗関係）。互いに登記を得るまでは、完全な所有権者となれないイメージです。

用語解説 対抗要件…効力の生じている法律関係や権利関係を、第三者に対して主張するための要件です。まさに不動産に関する物権の得喪・変更における登記は、この対抗要件となります。

（2）詐欺による取消しと第三者

Aが Bにだまされて、A所有の甲土地を Bに売却した後、Bがさらに Cに転売した場合を考えてみましょう。Aはだまされたので、AB間の売買契約を取り消すことにしましたが、Aの取消前に Cが甲土地を購入した場合と、取消後に Cが購入した場合とで、事情が異なってきます。

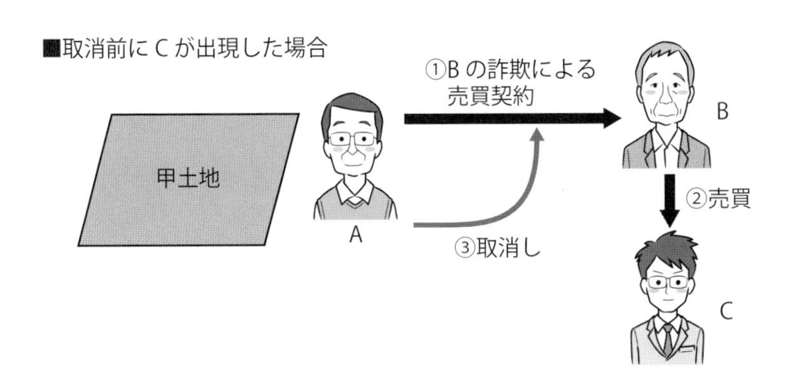

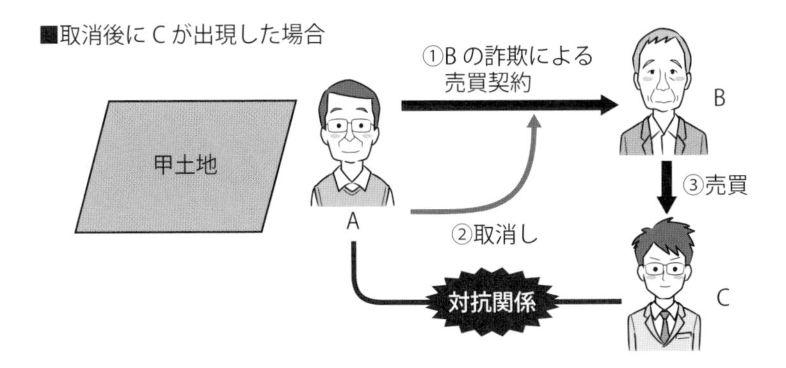

Aの取消前に Cが出現した場合、Cは、AB間の契約が詐欺に基づくという事情について、善意無過失であれば保護されます（20ページ参照）。Aの登記の有無は、関係ありません。

つまり、Cは甲土地を取得できます。民法は、詐欺について何も知らないし、そのことについて落ち度がないCを保護するのです。

用語解説 背信的悪意者…第三者が単なる悪意（知っていること）にとどまらず、最初に物権を譲り受けた第1譲受人を害する目的で、自分もその物権を取得して、第2譲受人となった場合をいいます。

一方、**CがAの取消後に現れた第三者**である場合、AとCの関係は民法177条によって処理されて、**先に登記を備えたほうが確定的に所有権を取得する**ことになります。つまり、取消後の第三者であるCについては、詐欺の事情について悪意であっても、**先に登記**をすれば保護されます。

Aは売買契約を取り消した以上、登記をしようと思えばできる状態です。なのに放置していた落ち度があるからです。この場合、34ページで紹介した二重譲渡のケースと同様に処理するのです。

（3）取得時効（しゅとくじこう）と登記

Bが所有する甲土地をAが占有し続けたことで、Aに取得時効の期間が経過し、時効を援用してAが甲土地を取得するとします。しかし、時効取得するタイミングの前後で元の所有者であるBが、Cに甲土地を売却した場合を考えてみましょう。

この場合、**BのCへの売却が、Aの取得時効完成前**であれば、**AはCに対して、登記なくして、所有権の取得を対抗することができます**（右ページの上図参照）。所有権がB→C→Aと移転したことになるのです。

たとえば、単にBがAに甲土地を売却したという場合、Aは「B」に対して、**登記なくして**、甲土地の所有権を主張できます。Bは売主である以上、所有権がAに移っていることはわかりますし、買主であるAにとって、Bは物権の得喪を主張するために登記を要する「第三者」ではないのです。これを「前主後主（ぜんしゅこうしゅ）の関係」と呼びます。

これは、Bが所有する甲土地を、Aが時効取得したケースでも当てはまり、AはBに対して、**登記なくして**、甲土地の所有権を主張できます。

すると、**甲土地の所有権が「B→C」と移った後、Aが甲土地を時効取得**した場合、**Aは「C」の所有物を時効取得したのと同じ**、と考えられるわけです。よって、**AはCに対して、登記なくして、所有権の取得を対抗することができます**（最判昭35.7.27）。

他方、**BのCへの売却が、Aの取得時効完成後**の場合（右ページの下図参照）、BはAにも、Cにも甲土地を売却した状況、つまり、**二重譲渡と同様の状況**と考えられるので、AとCとの関係は、**AとCのどちらか**

用語解説 前主と後主…「前主」と「後主」という言葉は、法律で規定されているわけではなく、学習上の用語と考えましょう。何か物を買った際、買主（後主）は売主（前主）に対しては、その物が自らのモノであるという対抗要件を備える必要がないのです。

先に登記を備えたほうが優先することになります。

〔Aの時効取得前に、Cに売却した場合〕

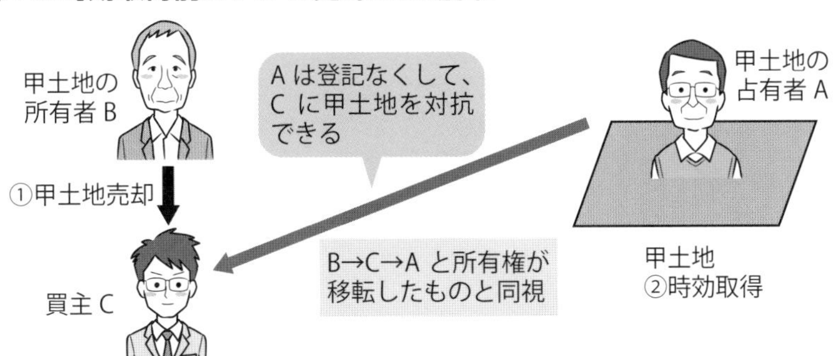

〔Aの時効取得後に、Cに売却した場合〕

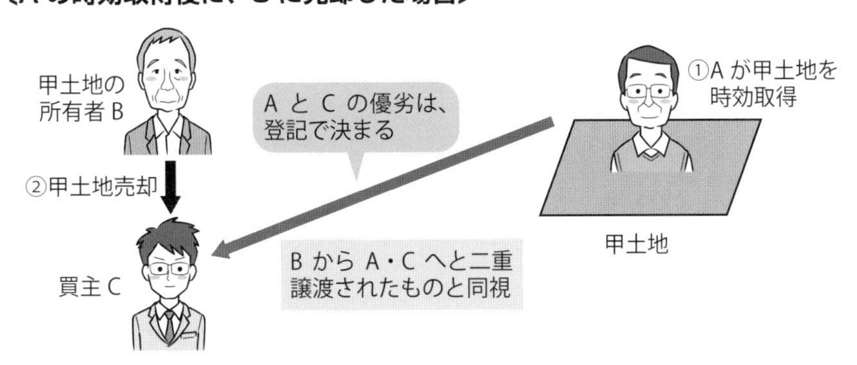

“そのような処理になる”と覚えよう

ここまで紹介してきたケースの処理について、腑に落ちない部分もあるかもしれませんが、民法上、“そのように処理されている”と捉えて、覚えてしまいましょう。

話したくなる！　占有は相続によって承継されるため、父が甲土地を所有の意思をもって平穏かつ公然と17年間占有した後、子が相続し甲土地を所有の意思をもって平穏かつ公然と3年間占有した場合、子は甲土地の所有権を時効取得することができます。

4 過去問を確認してみよう！

ここまで述べた話について、少しだけ過去問を確認してみましょう。

過去問 令和5年度　問6　改題

A所有の甲土地を占有しているBによる権利の時効取得に関する次の記述のうち、民法の規定及び判例によれば、正しいものはどれか。

ア　AがCに対して甲土地を売却し、Cが所有権移転登記を備えた後にBの取得時効が完成した場合には、Bは登記を備えていなくても、甲土地の所有権の時効取得をCに対抗することができる。

本問は、Cが甲土地を取得した後に、Bに甲土地に対する取得時効が完成したケースです（37ページ上図参照）。このような場合、**Bは登記を経由しなくとも、Cに甲土地の時効取得を対抗できる**と解されています（最判昭35.7.27）。

このテーマのまとめ

・物権とは、特定の物を直接的・排他的に支配する権利のことで、その設定と移転は、原則として、意思表示のみで効力を生じる！
・「不動産」に関する物権の得喪等について、第三者に対抗するためには、登記が必要！
・ただし、「前主後主の関係」、また、その関係と同視できるようなケースでは、登記なくして、その不動産の権利を主張（対抗）できることがある！

話したくなる！ 俗に「○○と登記」と呼ばれる、ある物が自らのモノと主張するために、登記等の対抗要件が必要となるか否かの問題はたくさんあります。すべては紹介できないので、この先の学習で目にしたものを、丁寧に確認し、自分なりにまとめておけるとよいでしょう。

Theme

6 所有権

所有権は、特定の物を直接的・排他的に使用、収益、処分することができる完全な物権といわれます。通常は、１つの物に対して所有権者は１人ですが、複数いる場合を共有といいます。

民法には個人の所有権を保障する「所有権絶対の原則」があります。一方で不動産所有権などには規制が課されます。

話したくなる!　不動産所有権などで所有権が制限されるのは、土地の公共的な性質や、他者の所有権などと調和が図られるためです。なお、土地基本法において土地は、国民のための限られた貴重な資源であることなどから、公共の福祉を優先させるとしています。

1 所有権の内容

所有者は、法令の制限内において、自由にその所有物の**使用**、**収益**及び**処分**をする権利があります。つまり、法令の制限内であれば、その所有物を自由に利用したり、他人に貸すなどしたりして、**利益を得ることができます**。また、**他人に売ること**も、**贈与すること**もできます。

2 相隣関係（そうりん）

土地は通常、他の土地と隣接していることから、その利用が他の土地に影響を与えることがあります。たとえば、庭の木の枝が隣の土地まで伸びたり、上の土地から排水が流れたりするような場合です。このような場合に、隣接する土地との利用関係を定めているのが、**相隣関係**の規定です。

（1）隣地使用権

土地の所有者は、境界（きょうかい）またはその付近における障壁（しょうへき）、建物その他の工作物の築造、収去または修繕や境界標の調査・境界に関する測量、枝の切り取りのために**隣地を使用することができます**。ただし、住家（じゅうか）については、**居住者の承諾**がなければ、立ち入ることはできません。これによって、隣地の所有者などが損害を受ければ、**償金**を請求することができます。

（2）公道に至るための他の土地の通行権

他の土地に囲まれて公道に通じない土地（**袋地**）の所有者は、公道に至るため、その土地を囲んでいる他の土地（**囲繞地**（いにょうち））を**通行することができます**。ただし、土地を分割（**分筆**）することによって公道に通じない土地が生じたときは、公道に至るため、分割したもう一方の土地のみ通行する

通行権の登記は不要！

袋地を取得した者は、登記がなくても、囲繞地を通行することができます。

話したくなる！ 袋地の所有者は囲繞地を通行するために自分で通路を開設することもできます。この場合には、通行に必要な範囲でできる限り損害の少ない方法で通行しなければならず、囲繞地の損害に対しては一定の償金を支払うものとされています。

ことができます。

(3) 継続的給付を受けるための設備の設置権等

都市生活に欠かせない**継続的給付**を受けるための設備の**設置権**の規定も設けられています。土地の所有者は、他の土地に設備を設置したり、他人が所有する設備を使用しなければ、電気やガス、または水道水の供給を受けられないとき、必要な範囲内で、**他の土地に設備を設置したり、他人が所有する設備を使用することができます**。この場合は、あらかじめ、その目的、場所、方法を他の土地の所有者などに**通知**しなければなりません。

(4) 水、境界、その他

そのほかに、水や境界に関する規定もあります。土地の所有者は、隣地から水が自然に流れてくるのを妨げてはいけません。土地の自然の高低で、水が自然に流れるときは、低地の所有者はこれをがまんする義務があり、せき止めることはできません。

また、土地の所有者は、隣地の所有者と**共同の費用**で、境界標を設けることができます。そして、**境界標の設置費用**は、隣同士が等しい割合で負担しなければなりません。もっとも、**測量の費用**は、互いの土地の広さに応じて負担することになります。

土地の所有者は、**隣地の竹木の枝**が境界線を越えるときは、**竹木の所有者に、枝を切除させることができます**。ただし、切除するよう催告しても、相当の期間内に切除してもらえなければ、**自ら切除することができます**。一方で、隣地の竹木の**根**が境界線を越えるときは、その根を自ら切り取ることができます。

A家の竹木の枝がB家の土地に侵入した場合は、Aに対して、侵入した枝を切り取れと請求できる。これに対して、B家に侵入したのがA家の竹木の根であれば、Bは自分で切り取って処分できる。

用語解説　ここでいう「継続的給付を受けるための設備」とは、電線や上下水道管などいわゆるライフラインに関する設備のことをいいます。

3 共有

共有とは、１個の物を複数の人が共同で所有していることをいいます。１つの建物を夫婦で購入すれば、通常、夫婦が共同で所有します。

(1) 共有物の使用

各共有者は、共有物の全部について、その**持分に応じた使用をすることができます。**

たとえば、ＡＢＣがそれぞれ費用を出し合って別荘を建てて共有している場合、通常はそれぞれ**3分の１ずつ**持分がありますが、３分の１の面積しか使えないわけではありません。利用期間を３分の１ずつにして、建物全部を利用することもできます。この場合、他人の持分もあるので、**善良な管理者の注意**をもって、共有物を使用しなければなりません。

(2) 共有物の保存

上記の例で、共有の建物を他人が勝手に占拠している場合、共有者はその者に建物の明け渡しを求めることができます。このように財産の現状維持を目的とする行為を**保存行為**といいます。保存行為は、共有者全員にとって都合がよいので、各共有者は、**単独で**することができます。

(3) 共有物の変更

たとえば、農地を宅地に変えるなど、**共有物の形状や効用を著しく変えること**をいいます。この場合、他の共有者**全員の同意**が必要です。ただし、共有物の形状や効用を著しく変えるとまではいえない**軽微な変更**の場合は、各共有者の持分の価格に従い、その**過半数**で決定されます。

(4) 共有物の管理

たとえば、共有物を他人に賃貸している場合に、その賃貸借の契約を解除する場合が共有物の管理にあたります。この場合、各共有者の持分の価格に従い、その**過半数**で決定されます。

用語解説　善管注意義務…善良な管理者の注意義務のことで、自分の物を保管するときの注意（自己の財産におけると同一の注意）に比べて、より重い注意を払わなければなりません。

(5) 無関心の共有者または所在不明者がいる場合

このような共有者がいると、全員の同意が得られないなどの不都合が生じます。そこで、共有者の請求により、裁判所が**残りの共有者全員の同意**で変更を可能にすることや、残りの共有者の持分の価格に従い、**過半数で管理**することができる旨の**裁判**をすることができます。

過去問　令和3年度12月試験　問2

> 相隣関係に関する次の記述のうち、民法の規定によれば、誤っているものはどれか。
>
> 1　土地の所有者は、隣地の所有者と共同の費用で、境界標を設けることができる。
> 3　高地の所有者は、その高地が浸水した場合にこれを乾かすためであっても、公の水流又は下水道に至るまで、低地に水を通過させることはできない。

選択肢3が**誤り**で**正解**です。高地の所有者は、その高地が浸水した場合にこれを乾かすため、または自家用もしくは農工業用の余水を排出するため、公の水流または下水道に至るまで、低地に水を**通過させることができます。**

選択肢1は正しく、土地の所有者は、隣地の所有者と共同の費用で、境界標を設けることができます。

このテーマのまとめ

- 所有者は、法令の制限内において、自由にその所有物の使用、収益及び処分をする権利を有する。
- 民法には、隣接する土地との利用関係を定めている相隣関係の規定がある。
- 共有は、1個の物を複数人が共同で所有していることをいう。

話したくなる！　所有者不明土地の増加によって、公共事業や民間の取引に支障が出ていることから、所有者不明土地管理命令や所有者不明建物管理命令によって、裁判所がこれらの土地建物に対する管理人を選任する制度ができました。

Theme 7 担保物権の基礎知識

担保物権には、法定担保物権として留置権と先取特権、約定担保物権として質権と抵当権とがあります。特に抵当権については頻出です。基礎となる知識を確認しておきましょう。

担保物権に関する問題は、何かしら毎年必ず出題されます。覚える知識は多いですが、知っていれば解ける問題も多いテーマでもあります。

用語解説　法定担保物権…法律に定められた要件を満たせば、当事者の契約（意思）に基づかずに、当然発生する担保物権です。一方、当事者が設定する契約等を行わないと発生しない担保物権を「約定担保物権」といいます。

1 そもそも「担保物権」とは？

担保物権は、**債務の弁済（べんさい）を確実にする手段**として用いられます。たとえば、債務者Xに対してAが200万円、Bが100万円、Cが300万円を貸していて、Xの全財産が30万円であったとき、債権者に平等に返そうとすると、各債権の按分（あんぶん）（割り当て）額として、Aは10万円、Bは5万円、Cは15万円の弁済しか受けられないことになります。

この際、債権者CがXに対して、弁済を確実に受けられるようにするための保証として、あらかじめXの特定の物を債権の担保として提供させ、弁済がないときには、担保として提供されたXの物を競売（けいばい）にかけて他の債権者に優先して、競売代金から弁済を受けられるようにできます。この権利が担保物権です。

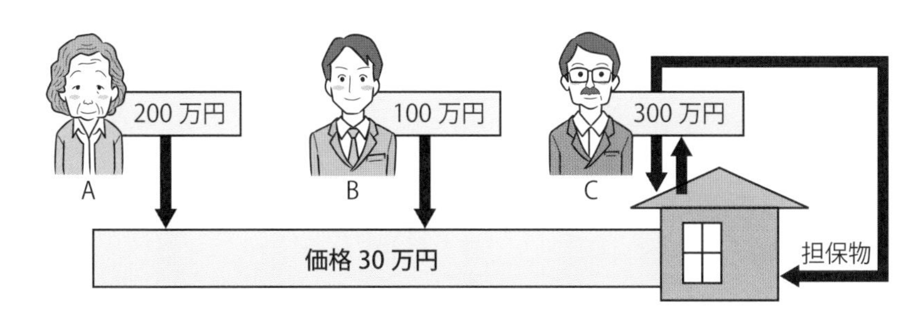

2 担保物権の「効力」と「性質」

一般論として、各種担保物権については、次の2つの効力と4つの性質が語られます。担保物権によっては、これらの効力や性質の一部がないものもあります。

（1）担保物権の効力

①優先弁済的効力

担保物権を持っている債権者（担保権者）が、**他の無担保の債権者に優先して弁済を受ける**ことができる効力のことです。

用語解説　弁済…借りたお金を返すなど、債務の消滅をもたらす行為をいいます。

②留置的効力（りゅうちてきこうりょく）

債権者が**弁済を受けるまで、担保の目的物を債権者の手元に留置して（残して）**、返還を拒むことができる効力です。要するに、「借金を全部返すまでは、預かっている物は返さない」と言える効力です。

(2) 担保物権の性質

①付従性（ふじゅう）

担保される債権（被担保債権）が存在して、**はじめて担保物権が存在**するという性質のことです。**途中で被担保債権が消滅**した場合、担保物権はどうなるのか（基本的には、**担保物権も消滅**）、という問題にかかわります。

②随伴性（ずいはん）

被担保債権が、債権譲渡などによって他の者に移転した場合、**担保物権もそれに伴って移転**するという性質のことです。

③不可分性（ふかぶん）

債権**全額の弁済を受けるまで、担保目的物の全体**について、**担保物権を行使することができる**性質のことです。**債権の一部の弁済**を受けた場合でも、**目的物の全部を手元にとどめておけるか**、という問題にかかわります。

④物上代位性（ぶつじょうだいい）

担保権者が、その**目的物の売却、賃貸、滅失または損傷**によって、**債務者が受ける金銭等**に対しても、**担保権を行使することができる**性質です。

たとえば、ある建物を担保に取っていた場合で、その建物が火災で焼失したとします。その火災保険金にも担保権の効力が及ぶか（＝火災保険金から優先弁済を受けることができるか）、という問題にかかわります。**物上代位性がある担保物権は、それが可能**ということです。

次ページでこれらの性質等をまとめます。

用語解説 担保権者…民法上、何かしらの担保権を有している者を「担保権者」といいます。逆に、「一般債権者」といった場合、担保権を有していない債権者のことを意味します。

担保物権の効力と性質のまとめ

効力と性質	留置権	先取特権	質権	抵当権
優先弁済的効力	なし	あり	あり	あり
留置的効力	あり	なし	あり	なし
付従性	あり	あり	あり	あり
随伴性	あり	あり	あり	あり
不可分性	あり	あり	あり	あり
物上代位性	なし	あり	あり	あり

3 「抵当権」に関する基礎知識

（1）そもそも「抵当権」とは？

では、主な担保物権を確認していきましょう。まずは、担保物権の中で、宅建士試験において最も重要といえる**「抵当権」**です。

抵当権とは、**債務者または第三者（物上保証人）**が、**不動産などを自分の手元にとどめたまま**、債務の**担保として提供**し、もし債権者が債務の弁済を受けられない場合、その担保目的物から、他の債権者に先立ち優先的に弁済を受けることができる権利のことをいいます。

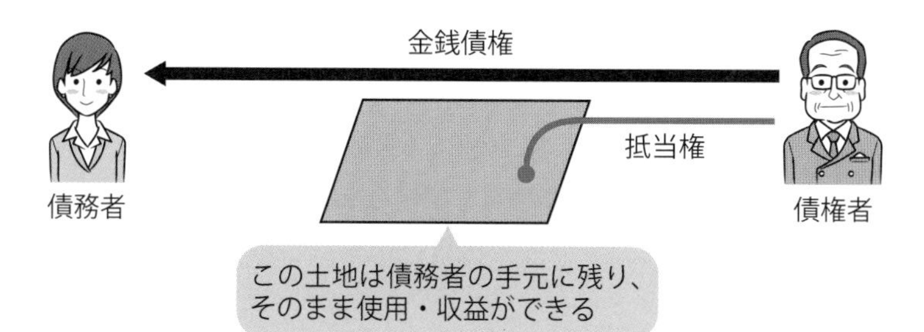

用語解説 物上保証人…自らは債務を負っているわけではありませんが、何らかの理由で、他人の債務の担保のために、自らが所有する不動産等を担保として提供した人のことです。債務を負っている“その他人”のことを「主（たる）債務者」といいます。

この抵当権は、その目的である不動産（抵当不動産）に**付加して一体となっている物（付加一体物）にも及びます**。たとえば建物には、エアコンや畳などの様々な物が附属していますが、この**「付加一体物」と評価されるもの**には、**抵当権の効力が及ぶ**ということです。

なお、この**「付加一体物」**には、**「付合物」**と**「抵当権設定時に存在した従物」**があります。イメージとして**「付合物」は、目的物と一体化**しているようなもので、建物に抵当権を設定した場合だと、増築部分や雨戸などがその例です。他方、**「従物」は、一体化とまではいえないが一体に扱おう**、というイメージでよいでしょう。庭地（土地）に抵当権を設定した場合の石灯籠などが、その例です。

これらにも抵当目的物の「付加一体物」として、抵当権の効力が及ぶということです。

（2）担保される債権の範囲

抵当権が設定されるということは、担保してもらいたい債権（被担保債権）があります。そして、100 万円の金銭債権があるとして、返済額は 100 万円のみとは限りません。一般的には、利息が付くからです。

この点、**抵当権者は**、利息その他の定期金を請求する権利を有するとき、その**満期となった最後の２年分について、その抵当権を行使することができます**。被担保債権の**利息**については、**最後の２年分**にのみ、抵当権の効力が及ぶということです。

複数の抵当権が設定された場合、抵当権どうしでも優先順位があります。利息は債務が返済されなければどんどん増えていくものであり、無制限に担保されるとすると、後順位の抵当権者が、担保価値がどの程度残っているかを判断できなくなるため、このような限定がされました。

ということは逆に、**後順位抵当権者が存在しない場合**、２年分に限らず、担保権者は、**利息全額について弁済を受けることができます**。

話したくなる! 契約当事者間において、特に利率を定めなかった場合、法定利率に従って利率が決まります。法定利率は年３パーセントで、３年ごとに見直されます。

(3) 抵当権と賃借権の関係

抵当権は、抵当目的物を債務者の手元に残したまま、担保にすることができる担保物権です。よって、抵当権の設定者（債務者）は、従来どおり、抵当目的不動産を使用することも、賃貸して収益を上げることもできます。

しかし、**抵当権を設定した後**に、**目的不動産を第三者に賃貸**した場合で、債務の弁済がなされずに**抵当権が実行**されてしまうと、競落人は、目的不動産を抵当権が設定されたときの状態（＝賃貸借がなされる前の状態）で取得するため、賃借人が出ていかなければならなくなってしまいます。

そうなると、目的物を手元にとどめて、使用収益しながら弁済を図る…という抵当権の意味がなくなってしまいます。そこで、民法は、抵当権と賃借権の調和を図る制度として、次の２つの制度を規定しています。

①建物明渡猶予制度

抵当権の登記後に賃借権を得て、競売手続の開始前から建物の使用または収益をする者などについては、**競売による買受時から６か月の明渡猶予期間**が与えられます。出ていかねばならない時期を少し待ってもらえる制度です。

②抵当権者の同意制度

登記をした賃貸借については、その登記前に設定登記をした**すべての抵当権者が同意**をし、かつ、その**同意の登記**があるときは、その**同意をした抵当権者**に対抗することができます。

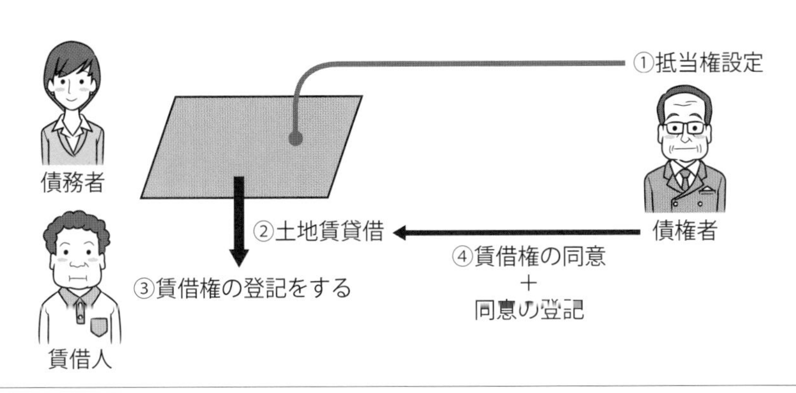

用語解説　競落（人）…「競落（けいらく）」とは、いわゆる競売において、最高価額による買受けを申し出た者に目的物件の所有権が移転することです。この競落によって、目的物の権利を取得した人を「競落人」といいます。

(4) 法定地上権について

法律の要件を満たした**一定の場合、自動的に設定されたものとみなされる地上権**が**「法定地上権」**です。

たとえば、**土地とその土地上の建物が同一の所有者**に属する場合に、その**土地か建物のどちらかに抵当権が設定**されたとします。その抵当権が実行され、土地と建物の所有者が異なることになると、土地の競落人は、自分の土地上の建物が邪魔なので、家屋を取り壊せ！…と言いだしかねません。

また、建物の競落人は、建物を取得してはみたものの、その下の土地を利用する権利がないならば、土地所有者から出ていけ！…と言われかねません。

そこで、このような場合、**建物のために、法律上当然に設定されたとする地上権が法定地上権**です。

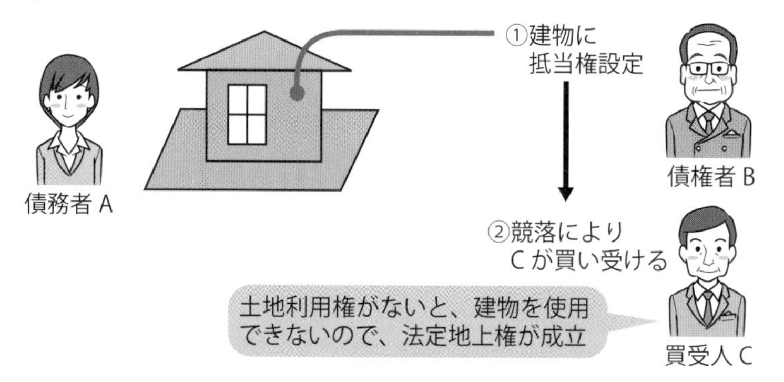

法定地上権の成立要件

①**抵当権設定時**に、土地上に**建物が存在**すること。
②**抵当権設定時**に、**土地と建物の所有者が同一人**であること。
→抵当権「実行」時に、土地と建物の所有者が別になっていた場合や、登記名義が別人であっても、要件を満たす。
③土地と建物の一方または双方に**抵当権が設定**されること。
④抵当権の実行で、**土地所有者と建物所有者が別々**になること。

用語解説 地上権…他人の土地において工作物または竹木を所有するため、その土地を使用する権利のことをいいます。物権の一つで、地上権設定契約によって成立します。

「法定地上権」の学習はコツコツと…
法定地上権は、宅建士試験の問題でも難しい部類に入ります。様々な判例が出ていて、そのケースごとで法定地上権が成立したり、しなかったりもするので、焦らずにコツコツと学習する覚悟が必要です。

4 その他の担保物権（留置権、先取特権、質権）

抵当権以外の担保物権についても、確認しておきましょう。

（1）留置権

留置権は、他人の物の占有者が、**その物に関して生じた債権**を有するとき、**その債権の弁済を受けるまで、その物を留置することができる権利**のことをいいます。たとえば、腕時計が壊れたので時計屋に修理に出した場合、その「他人の物（＝腕時計）」の占有者である時計屋は、修理代金の支払いを受けるまで、修理した時計を持ち主に返さないでいることができます。

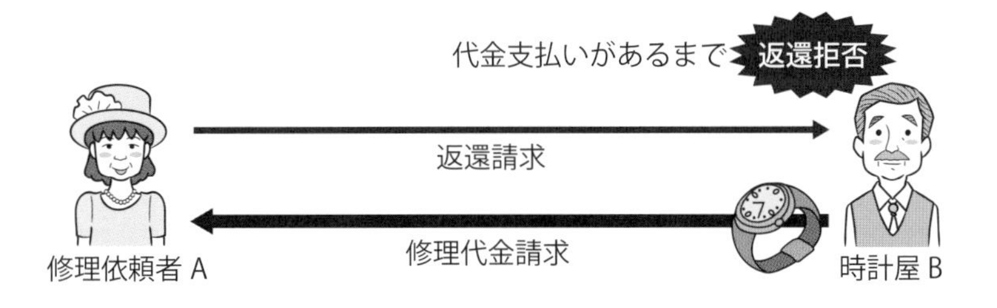

（2）先取特権

先取特権とは、**法律に定められた一定の債権**を持っている者が、**債務者の一般財産や特定の財産**から、**他の債権者に優先して債権の弁済を受けられる**担保物権のことをいいます。債務者の一般財産から優先弁済を受けられる先取特権を「一般先取特権」、特定の財産から優先弁済を受けられる先取特権を「特別の先取特権」といいます。

用語解説　一般財産…特にコレと決まっているわけではなく、債務者の財産一般の意味です。つまり、一般先取特権では、債務者が債務を弁済しない場合、何でもかんでもというわけにはいきませんが、債務者の財産一般から弁済を受けることができます。

(3) 質権

質権とは、債権者が**債権の担保**として、債務者や物上保証人から**引渡しを受けた物や権利**を、**債務の弁済があるまで留置**することによって、債務者にその債務の弁済を間接的に強制し、また、**弁済がない場合**には、**その物や権利から優先的に弁済を受けることができる**権利です。

「担保として、このテレビは預かっておく。弁済されないのならば、売却する」というイメージですね。質権は、動産、不動産、債権その他の財産権を目的物とすることができます。

「不動産」質権のポイント

質権については、「不動産」質権がよく出題されます。以下のポイントは、押さえておきましょう。

①用法に従い、**特約がない限り、その不動産を自ら使用・収益できる。**

②**その代わり**、質権者は、**特約がない限り、管理費用などを負担し、被担保債権の利息を請求できない。**

③**存続期間は 10 年を超えることができない。**これより長い期間を定めた場合は、**10 年**に短縮される。

このテーマのまとめ

- 担保物権には、「優先弁済的効力」と「留置的効力」という 2 つの効力がある！
- 担保物権には、「付従性」「随伴性」「不可分性」「物上代位性」という 4 つの性質がある！
- それぞれの担保物権について、どのような内容のものか、また、上記2つの効力と4つの性質のどれを有して、どれを有しないのか、確認しておこう！

話したくなる！ 上の先生のコメントにあるとおり、「不動産質権」では、特約を行わない限り、被担保債権の利息を請求できません。ちなみに、「抵当権」では、被担保債権の利息のうち、満期となった最後の 2 年分に対しては、効力が及びます。

Theme 8 債務不履行と不法行為(ふほうこうい)の基礎知識

債務不履行は、債務者が正当な理由がないのに、債務の本旨に従った履行をしないこと、不法行為は、故意（わざと）または過失で他人の権利等を侵害することです。

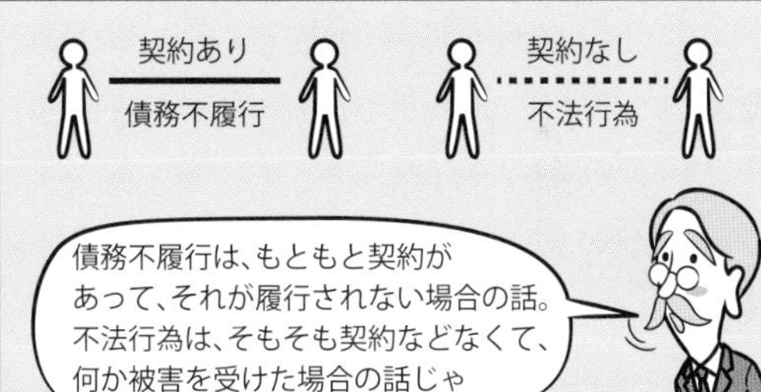

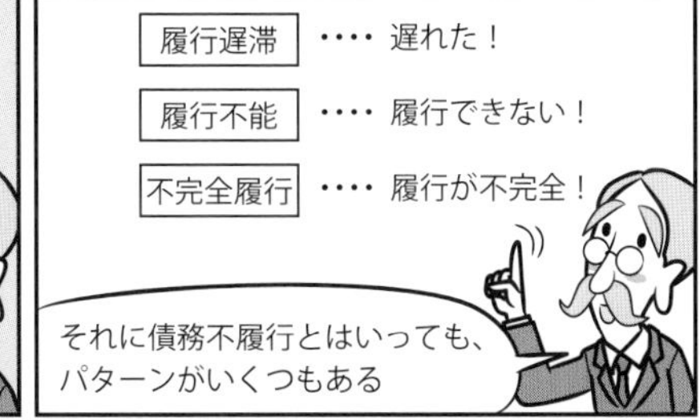

債務不履行も不法行為も成立すると損害賠償請求権が発生します。試験ではよく出題されるテーマですので、基礎知識を確認していきましょう。

用語解説 債務の本旨…イメージとしては、契約で定めたとおりの債務の内容という意味です。契約により定まった債務の内容について、弁済をすべき時、場所において提供することです。

1 債務不履行の種類

債務不履行とは、契約した内容の**債務を履行しないこと**です。債務不履行には、**履行遅滞**と**履行不能**、そして**不完全履行**があります。

履行遅滞とは、**履行期日に履行がされない**こと、**履行不能**とは、目的物が焼失してしまうなど、**履行ができなくなる**ことで、不能かどうかは、債務の履行に関し契約その他の債務の発生原因及び取引上の社会通念に照らして判断されます。そして、**不完全履行**とは、履行はあったものの、量が不足しているなど、**履行が不完全**なことです。

これらの**債務不履行が成立**すると、債権者は債務者に対して、**損害賠償を請求**したり、**契約を解除**することができます。

2 履行遅滞(りこうちたい)の要件と効果

(1) 履行遅滞の要件

たとえば、A さんが B さんから住宅を購入し、月末に引渡しを受ける契約をしたとします。ところが、B さんが月末になっても住宅を引き渡してくれません。このような状況を履行遅滞といいます。履行遅滞が成立するためには、以下の要件を満たす必要があります。

①**履行期**が**到来**していること
②履行が可能であるのに**履行期に履行がない**こと
③損害賠償の場合は、履行しないことが、**債務者の責めに帰すべき事由**（故意・過失）に基づくこと　**→この③の要件について、**解除権**のときは不要！**
④履行しないことが違法であること

上記①について、そもそも**自分の債務の履行期が到来しているかの判断**は、その債権によって異なります。

まず、**債務の履行について確定期限**があるときは、債務者は、その期限

用語解説 不確定期限…「来年桜が咲いたら」などのように、いつか必ず来ることは間違いないけれど、それがいつになるか、わからない期限のことをいいます。

の到来した時から遅滞の責任を負います。これはわかるでしょう。

次に、**債務の履行について不確定期限**があるときは、債務者は、その**期限の到来した後に履行の請求を受けた時**、または、その**期限の到来したことを知った時**の**いずれか早い時**から遅滞の責任を負います。

そして、**債務の履行について期限を定めなかった**ときは、債務者は、**履行の請求を受けた時**から遅滞の責任を負います。

(2) 履行遅滞の効果

履行遅滞と認められると、その効果として、債権者は引き続き、本来の債務の履行を請求できます。また、**契約解除権**が発生し（民法 541 条）、原則として、**債権者が、相当の期間を定めてその履行を催告**し、それでも、**その期間内に履行がない**ときは、**契約を解除することができます**。

解除に債務者の帰責事由は不要！

解除権の行使については、債務者の帰責事由は不要です！解除というものは、本来の履行がない場合、その契約の拘束力から当事者を解放させるためのものです。

3 履行不能（りこうふのう）の要件と効果

(1) 履行不能の要件

履行不能となるためには、次の要件を満たす必要があります。

①履行が不能であること
②損害賠償の場合は履行できないことが**債務者の責めに帰すべき事由**（故意・過失）に基づくこと　**→この②の要件について、解除権のときは不要！**
③履行しないことが違法であること

用語解説　違法である…同時履行の抗弁権や留置権がないこと（履行しないことについて法律上の理由がないこと）をいいます。

民法412条の2第1項は、債務の履行が「**契約その他の債務の発生原因及び取引上の社会通念に照らして不能である**」ときは、債権者は、その債務の履行を請求することができないと規定しています。もうどうにも履行することができないからです。

(2) 履行不能の効果

履行不能が認められれば、やはり**契約の解除**が認められます。ただし、どうしたって履行は不能である以上、この場合は**履行を催告することなく、直ちに契約を解除**することができます。また、**損害賠償請求**も認められます。なお、**契約が成立する前**に、**すでに履行不能**となっていたケースでも、**債権者は損害賠償請求ができます。**

4 不完全履行(ふかんぜんりこう)について

不完全履行についても、債務者の責めに帰すべき事由(故意・過失等)があることや、完全な履行がなされないことが違法であることなど、履行遅滞や履行不能と同じ要件があります。

そして、不完全履行の場合は、追完(追って完全な履行をさせること)が可能である場合には、履行遅滞と同様に、追完が不可能である場合には、履行不能と同様に損害賠償請求や契約の解除ができると考えましょう。

5 債務不履行に基づく損害賠償(そんがいばいしょう)について

債務不履行に基づく損害賠償請求については、いくつか重要な規定があります。

(1) 損害賠償の方法

損害賠償請求は、**金銭**によって行うことが原則とされています(**金銭**賠償の原則)。

話したくなる! 上記のように「不完全履行」については、簡単な解説ですませましたが、債務不履行については、「履行遅滞」と「履行不能」をしっかり把握することから始めましょう。

(2) 金銭債務に関する損害賠償の特則（とくそく）

そして、その債務が「金銭債務」の場合には、いくつか特則が定められています。金銭債務とは、100万円支払うといったお金を支払う債務のことで、特則とは、特別なルールのことです。重要な特則は次の2つです。

①金銭債務の場合、債務者は、たとえ**債務不履行の原因が不可抗力（地震などの天災事変）**であったとしても、損害賠償を免れることは**できません**。
②金銭債務の場合、債権者は、その不履行という事実を証明すればよく、損害の証明をする必要がありません。

要するに、金銭債務の場合は、債務不履行となった以上、その理由が何であったとしても、言い逃れることができないのです。

金銭債務に「履行不能」はない！
世の中からお金がなくなることは考えられない以上、金銭債務については、「履行不能」となるケースはありません。そして、言い逃れができない以上、履行期に履行しなければ、常に履行遅滞となってしまいます。

(3) 損害賠償と過失相殺（かしつそうさい）

債務不履行やこれによる**損害の発生・拡大**に関して、**「債権者」にも過失があった（落ち度があった）**とき、**裁判所**は、**これを考慮して損害賠償の責任及びその額**を**定めます**。

定めなければならないという規定なので、債権者にも落ち度があった場合で、訴訟において、**裁判所は必ず考慮**します。

用語解説 不可抗力…どう頑張ったとしても、できないケースという意味です。抗（あらが）うことが「不可」ということですね。金銭債務の場合は、この不可抗力で履行できなかったとしても、責任を負わなければなりません。

6 不法行為の基礎知識

次に「不法行為」の話に移ります。前ページまでの**「債務不履行」**については、**前提として「契約」**があり、それが**履行されない場合にどう処理するのか**…という話でした。

しかし、**「不法行為」**は、**何か悪さをされてしまい損害を受けた人**が、**損害賠償請求等を行っていく場面**をイメージしてください。たとえば、営業車を運転中に、ハンドル操作を誤って前の車に追突してしまい、前の車の運転手にケガをさせてしまいました。このとき、前の車の運転手との間には何も契約関係はありませんが、こちらの過失により相手方に損害が生じているので損害賠償をしなくてはなりません。

(1) 不法行為の成立要件

原則的な不法行為の成立要件は、以下の内容になります。

一般の不法行為の成立要件

要　件	注意点
①行為者に故意または過失があること	過失責任の原則に基づく
②行為者に責任能力があること	幼い子のような責任無能力者が不法行為をしても、その子自身は責任を問われない。ただし、監督義務者の責任が生じることがある（民法714条）
③加害行為に違法性があること	加害行為に正当防衛や緊急避難などの違法性をなくしてしまう事情がないこと
④損害が発生していること	損害発生と行為との間に因果関係があること

用語解説　損害…損害には、「財産的」な損害と、「精神的」な損害とがあります。たとえば、名誉を毀損されたという精神的な損害についても、不法行為が成立すれば損害賠償請求ができます。精神的損害に対する損害賠償請求を「慰謝料請求」といいます。

不法行為が成立すれば、**被害者は加害者に対して、損害賠償を請求**することができます。

ちなみに、**被害者にも過失**があった場合、**裁判所はそれを考慮して、損害賠償の額を定めることができます**。56ページからの債務不履行と異なり「**できる**」だけで、考慮しなくても**よい**のです。また、損害賠償責任を免責することはできません。

(2) 損害賠償請求権の消滅時効（しょうめつじこう）

不法行為による損害賠償請求権は、原則として、①**被害者**またはその法定代理人が、**損害及び加害者を知った時から３年、②不法行為の時から20年のいずれか先に経過した時点で時効により消滅**します。

「損害」と「加害者」の両方を知る必要

「損害」を受けたことは普通わかると思いますが、「加害者」を特定できなければ、損害賠償請求のしようもありません。それなのに時効が進むと被害者に酷なのです。

ちなみに、不法行為時から20年で損害賠償請求権は消滅してしまいます。さすがに20年も経過してしまうと、証拠も減っていき判断のしようもなくなるといった理由に基づきます。

そして、この規定には例外があります。**人の生命または身体を害する不法行為**の場合には、**上記①の期間が「3年」→「5年」へと伸長**されています。上記②は同じです。

(3) 不法行為等に基づく損害賠償請求権を受働債権（じゅどうさいけん）とする相殺（そうさい）

相殺とは、**互いに同種の債権（金銭債権など）**を持つ場合、いちいち金銭を支払って、受け取ってという手続を省略して、**互いに履行したことにしよう**とするものです。

用語解説 受働債権…自分が債務者となる債権のことです。自分が相手方に持っている債権のことを「自働債権」といいます。この自働債権と受働債権とを差し引くことで、互いに債務を履行したこととして、債務を消滅させる行為が相殺です。

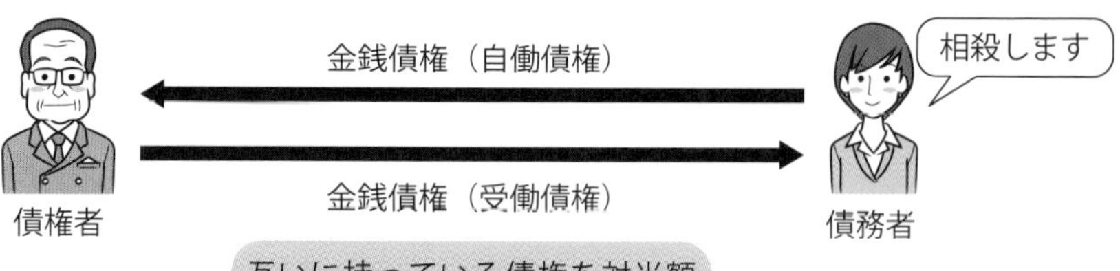

しかし、次の場合には**相殺が禁止**されます。

①悪意による不法行為に基づく損害賠償債権を受働債権とする相殺
②人の生命または**身体**の侵害による損害賠償債権を受働債権とする相殺

(4) 使用者責任

従業員を雇って事業をしている者（使用者）、または**使用者に代わって事業を監督する者**は、**被用者（雇われている者）が第三者に与えた損害**についても**被用者とともに共同で損害を賠償**しなければなりません。たとえばAさんが営業車を運転中に、交通事故を起こして誰かをケガさせてしまった場合には、Aさんの**使用者**も損害を賠償する責任があるということです。

このテーマのまとめ

- 債務不履行には、履行遅滞、履行不能、不完全履行の3種類がある。
- 債務不履行があった場合、損害賠償請求や解除権の行使が可能だが、解除権の行使については、債務者の帰責事由が不要となる。
- 損害賠償は金銭の支払いで行い、金銭債務の不履行については言い逃れができない。

用語解説　損害賠償額の予定…契約を締結する際に、当事者の一方が債務不履行など、契約に違反する行為をした場合の損害賠償の額について、あらかじめ当事者間で額を定めておくことです。

Theme 9 保証債務と連帯債務の基礎知識

保証債務と連帯債務は、登場人物が3人以上出てくるので、「多数当事者の債権債務」とも呼ばれます。よく出題される部分なので、基礎からしっかり押さえておきましょう。

保証債務と連帯債務のポイントは、登場人物の1人に生じた事由が、他の人にどのような影響を及ぼすかという点です。

話したくなる!　上で述べた登場人物の1人に生じた事由が、他の人にどのような影響を及ぼすかという点は、結局のところ、各ケースで結論がどうなるのかを丁寧につぶしていく必要があります。これはどの受験生もつらいところなので、あきらめないで学習してください。

1 保証債務の基礎知識

たとえば奨学金などのお金を借りる際に、誰かに保証人になってもらうことがあります。このとき、一般的には主たる債務者が誰かに保証人となってくれるようお願いしますが、保証債務自体は債権者と保証人との保証契約で成立します。このように保証債務とは、**債権者と保証人との間で締結される契約（保証契約）**によって発生する債務であり、**保証人**は、**債務者がその債務（主たる債務）を履行しない**場合に、**主たる債務者に代わって履行する責任**を負います。

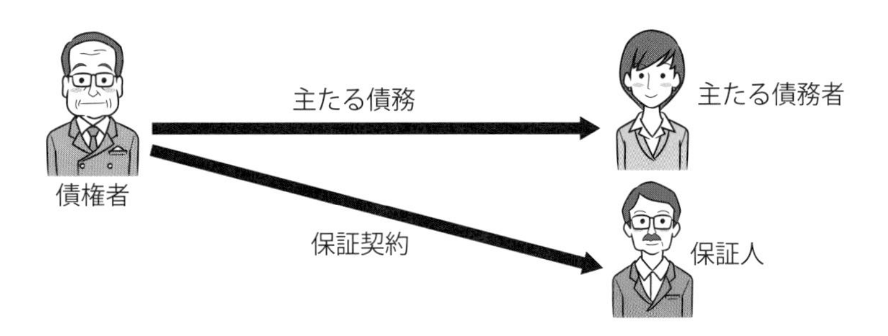

(1) 保証債務の成立

保証債務は、債権者と保証人との間で締結される契約（保証契約）によって発生します。また、**保証契約は、書面で締結**しなければなりません。

(2) 保証債務の性質

保証債務には、以下の性質があります。

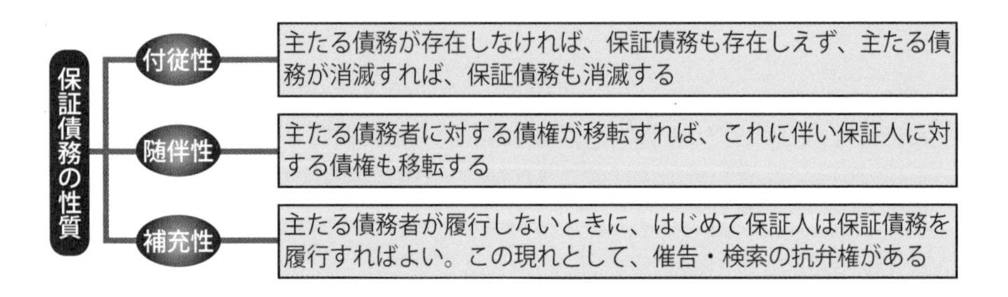

用語解説 催告の抗弁権…債権者からの請求に対して保証人が、まずは主たる債務者に債務の履行を請求しなさい、と主張することができる権利のことです。

(3) 主たる債務者または保証人に生じた事由の効力（影響）

後で解説する連帯債務についても同じことがいえますが、保証債務については、**主たる債務者に生じた事由が、保証人にどう影響**を及ぼすのか、逆に、**保証人に生じた事由が、主たる債務者にどう影響**を及ぼすのか、という問題がよく出題されます。これをまとめると次のようになります。

①主たる債務者に生じた事由
→**保証債務の内容を重くするもの以外は、すべて保証債務にもその効力が及びます**。主たる債務の消滅時効の完成猶予及び更新の効力は、保証債務にも及びます。

②保証人に生じた事由
→**債権を消滅させる事由以外**は、主たる債務に影響を**及ぼしません**。

上記①について、基本的には、主たる債務者に生じた事由は、すべて保証債務にも効力が**及びます**。たとえば、債権者が、主たる債務者に履行を請求したことで、消滅時効の進行が更新された場合、保証債務の消滅時効の進行も更新されます。

また、**上記**②について、保証人が保証債務を履行することで、債権者が満足を得た場合、もはや主たる債務者に履行を請求させる理由はありません。このような債権消滅に関する事由以外は、保証人に生じた事由は、主たる債務者に影響を**及ぼしません**。

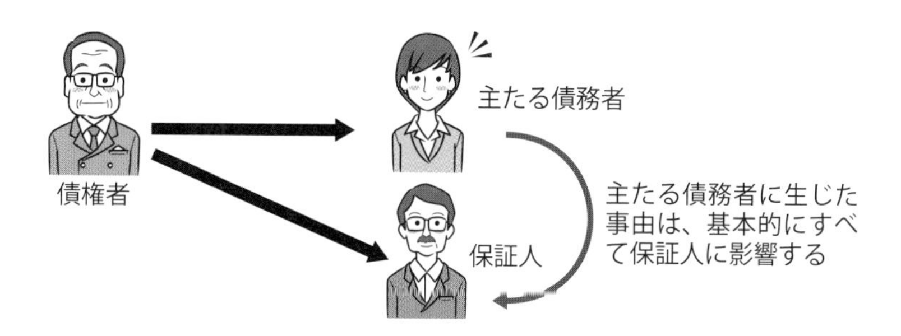

用語解説 検索（けんさく）の抗弁権…債権者からの請求に対して保証人が、主債務者に資力があり、執行も容易であることを証明して、先に主たる債務者の財産に対して執行しなさい、と主張することができる権利のことです。

2 連帯保証債務（れんたいほしょうさいむ）の基礎知識

単なる保証ではなく、保証人が、主たる債務者と連帯して債務を負担することを約束した保証を「連帯保証」といいます。

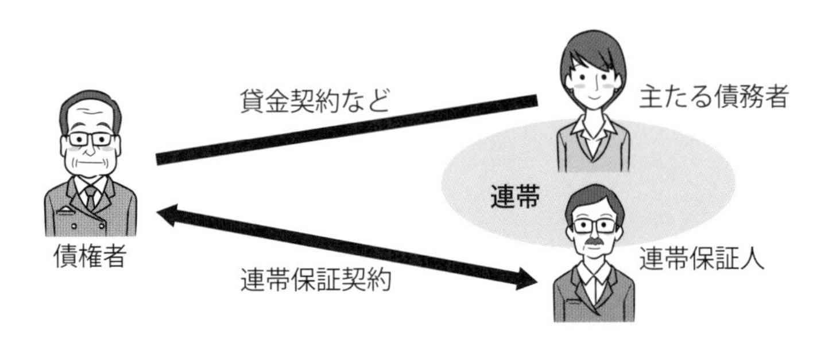

「連帯して債務を負担」という意味がわからないかもしれませんが、要するに、**連帯保証人には、62ページで述べた補充性が認められません。つまり、催告の抗弁と検索の抗弁が認められない**ということです。

その結果、債権者は、いきなり連帯保証人に対して債務の履行を請求したり、強制執行をすることができます。なお、連帯保証も保証債務の一種であることから、62ページで述べた**付従性**と**随伴性**は有します。

そして、主たる債務者や連帯保証人に生じた事由が、互いにどう影響を及ぼすのかという主な点をまとめると、次のようになります。

①主たる債務者に生じた事由　→**すべて連帯保証人にも及びます。**
②連帯保証人に生じた事由
　→連帯保証人が弁済等により**連帯保証債務を消滅**させたときは、**主たる債務も**消滅します。
　→連帯保証人との更改（こうかい）・混同（こんどう）（67ページ参照）、連帯保証人による相殺の援用は、主たる債務者に対してその効力が及びます。

話したくなる！ 保証債務の付従性からは、保証債務が、その目的または態様において、主たる債務より重いことはありえない、といった性質があることも導かれます。

保証債務と連帯保証債務の相違点

保証債務	項　目	連帯保証債務
あり	書面の作成の必要性	あり
あり	付従性の有無	あり
あり	随伴性の有無	あり
あり	補充性の有無	なし
及ぼす	主たる債務者に生じた事由は、（連帯）保証人に効力を及ぼすか	及ぼす
弁済等の債務を消滅させる事由のみ及ぼす	（連帯）保証人に生じた事由は、主たる債務者に効力を及ぼすか	弁済等の債務を消滅させる事由と、**更改・相殺・混同は及ぼす**

3 連帯債務の基礎知識

（1）連帯債務とは

連帯債務とは、複数の債務者が連帯して、債務を負う場合です。単に債務者が複数いる場合だけでは、原則として、各人の債務は別個独立の債務であり、分割債務となります（民法 427 条）。

しかし、連帯して債務を負うという契約が締結されると、債権者は、その連帯債務者の 1 人に対し、または同時もしくは順次にすべての連帯債

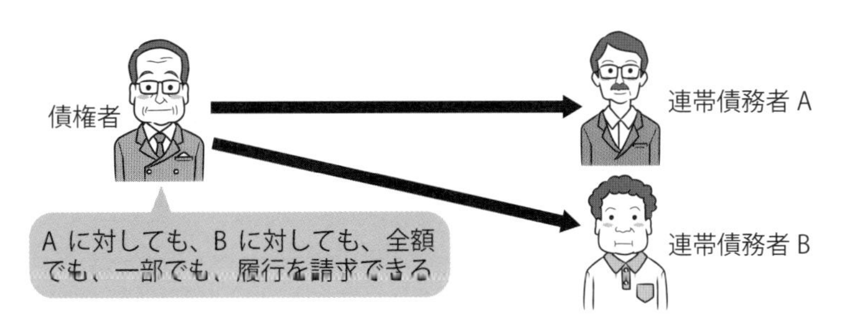

話したくなる！　上記のように、連帯債務は債権者にとってみれば、強い保証（担保）を有することと近い意味あいを有します。連帯して債務を負うという契約を締結するということは、その債権の担保が強化されるということです。

務者に対して、全部または一部の履行を請求することができます。

(2) 連帯債務者の1人に生じた事由の効力

連帯債務においても、連帯債務者の1人に生じた事由が他の連帯債務者に、どのような影響を及ぼすのかがよく出題されます。

原則としては、**連帯債務者の1人に何らかの事由**が生じた場合でも、**他の連帯債務者には、影響を及ぼしません**(相対的効力、民法441条本文)。

しかし、**次の場合**には、**他の連帯債務者に対しても、例外的に効力が及びます(絶対的効力)**。

①弁済・代物弁済(だいぶつ)

連帯債務者の1人が弁済すれば、債権は消滅することから、他の連帯債務者も債務を免れます。代物弁済とは、本来の目的物ではなく、債権者との間で、他の給付をすることを契約して、債務を消滅させる行為です。

②相殺

下の図で、BとCが連帯して100万円分の債務を負担することになりました。このうち、連帯債務者の1人Bが、債権者に対して100万円分の債権を持っていたとします。ここでBが相殺をすると、100万円分の債権は、すべての連帯債務者の利益のために消滅します。

また、B、C間でそれぞれの負担額を50万円としているときに、Bが相殺をしない間は、Bの負担部分の限度において、他の連帯債務者Cは、債権者に対して債務の履行を拒むことができます(民法439条)。

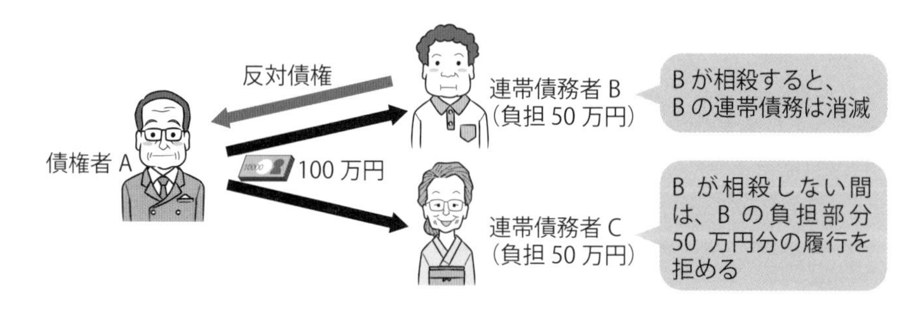

話したくなる! 連帯債務では「債権者が債務者の1人に対して履行の請求をした場合、他の債務者については、その効力が生じない(答え=○)」といった問題が出されています。

③更改

連帯債務者の１人と債権者との間に更改があったときは、債権は、すべての連帯債務者の利益のために消滅します。更改とは、当事者が従前の債務に代えて、新たな債務を負うことを契約することです。従前の債務は、更改によって消滅します（民法 513 条）。

④混同

債権及び債務が同一人に帰属することで、混同によりその債権は消滅します（民法 520 条）。たとえば債務者が債権者の相続人になった場合などです。連帯債務者の１人と債権者との間に混同があったときは、その連帯債務者は、弁済をしたものとみなされます。

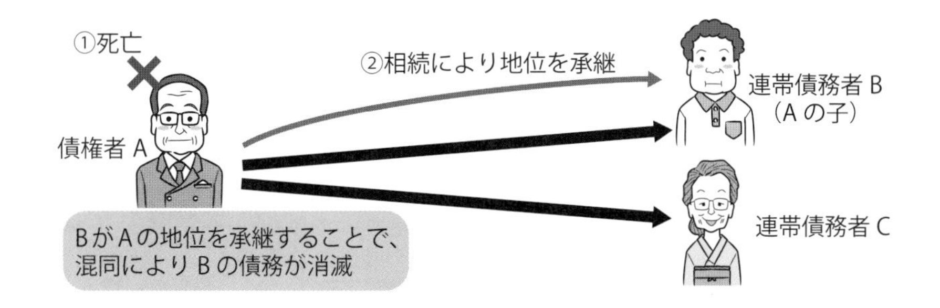

このテーマのまとめ

- 保証債務には、付従性、随伴性、補充性という性質がある。
- このうち補充性とは、主たる債務者が履行しないときに、はじめて保証人は保証債務を履行すればよいという性質である。
- 補充性の現れとして、保証債務には、催告と検索の抗弁権がある。連帯保証債務では、補充性がない。
- 連帯債務における債権者は、どの連帯債務者にも履行の請求ができる。

話したくなる! 上記のほか、債権者及び連帯債務者の１人が他の連帯債務者の１人に生じた事由の効力を受ける意思を表示したときは、当該他の連帯債務者に対する効力は、その意思に従うことになります（民法 441 条ただし書）。

Theme 10 債権譲渡の基礎知識

債権も財産権の一種であり、債権者は自ら有している債権について、原則として、自由に譲渡することができます。債権譲渡もよく出題されるので、基礎知識を確認しましょう。

債権譲渡は、文字どおり「債権」を「譲渡」することです。何が対抗要件となるのか、譲渡を制限した場合の処理がよく出題されます。

話したくなる! 民法に限らず、宅建業法や建築基準法など、宅建試験に関係のある法律や規程は毎年のように改正されます。改正点に限らず、試験団体のウェブサイトなどを通じて最新の情報に注意しておくようにしましょう。

1 債権譲渡とは

債権譲渡とは、たとえば、AがBに対して100万円の金銭債権を有している場合、その金銭債権をCに対して、90万円で譲渡するといったものです（取立ての手間や、確実に取り立てられるかはわからないので、少し安価で譲渡されるのが通常です）。

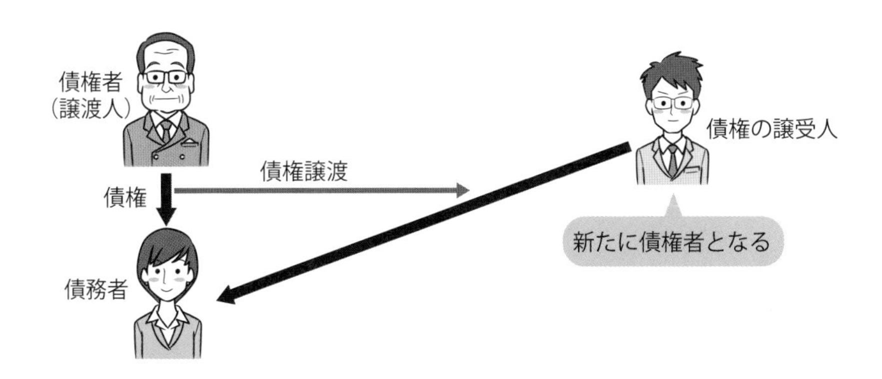

債権は、原則として、自由に譲渡できます。ただし、その性質がこれを許さないとき、たとえば、扶養（ふよう）請求権などは、譲渡することができません（民法466条1項、881条）。

債権譲渡がよく行われるのは、金銭債権です。金銭債権は、債権者が債務者に対して、一定額の金銭の支払いを要求する権利です。たとえ債権者に変更があっても、一定額の金銭を支払うという債務者の行為に変更はないことも理由です。

なお、譲渡の時点ではまだ発生していない、**将来発生する債権**についても**譲渡は可能**です。

2 譲渡制限の意思表示

先ほど、**債権譲渡は原則として自由**である、と述べました。しかし、債権者と債務者との間で「債権は譲渡しないでね」という譲渡制限の意思表

用語解説　扶養請求権…子が親に養ってもらうなど、自ら生計を立てることができない人が、扶養義務のある人に対して、自らを養うよう請求する権利です。このような権利は、譲渡できません。

示がなされることもあります。

いくらお金を支払うだけとはいっても…
金銭債権を前提としているので、債権譲渡により債権者が変わったとしても、お金を支払うだけだから…とはいえ、取立てが怖い人が債権者になるのは嫌ですよね。なので、譲渡しないでね…という特約をすることがあるのです。

とはいえ、債権譲渡は本来的に自由であることが前提なので、後になって「譲渡制限があるから譲渡は無効だよ」と言われると、債権を譲り受けた者（譲受人）が困ります。そこで、民法は、**当事者が債権の譲渡を禁止または制限する旨の意思表示（譲渡制限の意思表示）をしたとき**であっても、**その債権譲渡の効力は妨げられない**としています。

ただし、**譲渡制限の意思表示**がされていたことについて、**悪意または重過失のある譲受人**等に対しては、**債務者は、その債務の履行を拒むことができ**、かつ、譲渡人に対する弁済その他の債務を消滅させる事由をもって、その第三者に対抗することができます。

なお、譲受人等は債務者に対し、相当の期間を定めて譲渡人への履行を催告できます。そして、その期間内に履行しない債務者は、履行を拒んだり、譲渡人に対する弁済等をもって譲受人等に対抗できません。

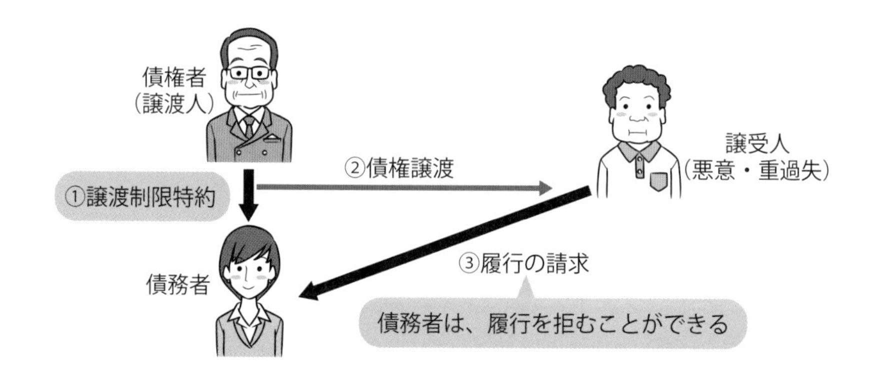

用語解説 重過失…重大な過失のことで、普通ならば気が付けたようなことも、かなりうっかりしていて見落としたというケースです。悪意（知っていること）と同視できるような程度の“うっかり”ともいえます。

3 債権譲渡の対抗要件

債権の譲受人は、**自分が新しい債権者**であることを**「債務者」に主張**するために、**対抗要件が必要**となります。この対抗要件がないと、債務者にしてみれば、突然「私が債権者です」と現れた人に対して、本当に弁済してもよいのかわかりません。

また、元の債権者が、その債権を二重に譲渡した場合など、**「第三者」に対しても**「私が債権者です」と言えるための**対抗要件も必要**です。それぞれの対抗要件は、次のものです。

(1)「債務者」に対する対抗要件

譲渡人が債務者に**通知**するか、**債務者**が譲渡を**承諾**することです。このどちらかがあれば、債務者は新しい債権者が誰であるかわかります。

(2)「第三者」に対する対抗要件

上記(1)の通知または承諾を**確定日付のある証書**によって行います。

?考えよう!

①次の図を例に考えてみましょう。**Cが確定日付のある証書を備えているが、Dは備えていない(債権者Aによる単なる通知はあった)**場合、CDのどちらがBに100万円を請求できるでしょうか?

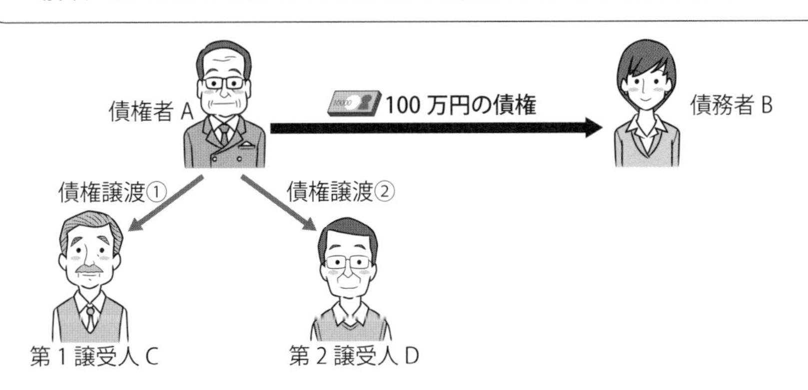

用語解説 確定日付のある証書…内容証明郵便や公正証書などのことです。郵便局長や公証人が日付を記載するので、確定日付のある証書の場合には、日付を偽ることができません。債権の二重譲渡があった場合、この証書が届いた先後で譲受人の優劣が決まります。

この場合、Cが債権者としてBに100万円を請求することができます。第三者間では、確定日付のある証書が対抗要件となるためです。

?考えよう!

②では、**CDがともに確定日付のある証書を備えている場合**は、どうでしょうか？

↓

答　**確定日付のある証書**（**通知**）が、**債務者に到達した日時**、または、**確定日付のある債務者の承諾の日時の先後**によって、優劣が決せられます（判例）。

「債務者」の認識が決め手

債権譲渡の対抗要件は、「債務者」の認識が決め手といえます。つまり、債務者が誰に弁済すればよいのかがわかるようにする、という視点です。

4 通知と承諾の効力について

債権者の通知と債務者の承諾には、債権を譲り受けた譲受人に対して、債権譲渡の対抗要件を具備（ぐび）させるという効力があります。しかし、それ以外の効力もあります。

債務者は、債権の譲受人が対抗要件を具備する時までに、譲渡人に対して生じた事由をもって、**債権の譲受人に対抗することができます**（同法468条1項）。

用語解説　具備…必要なものごとが備わっている、そろっているということです。

たとえば、Aさんが B さんに対して債権を持っていたとします。ですがAさんはCさんにこの債権を譲り渡すことにしました。この場合、Bさんが債権譲渡の通知を受けるまで、つまり、債権譲渡されたことを知るまでに、Aさんに対して債権（反対債権）を持つことになった場合、Bさんは、Aさんに対する債権によって、相殺できたことをCさんに対抗することができます（同法469条1項)。

債務者にしてみれば、元の債権者（譲渡人）に対して債権を取得したことで、相殺しよう…という期待が生まれます。この期待を保護するのです。

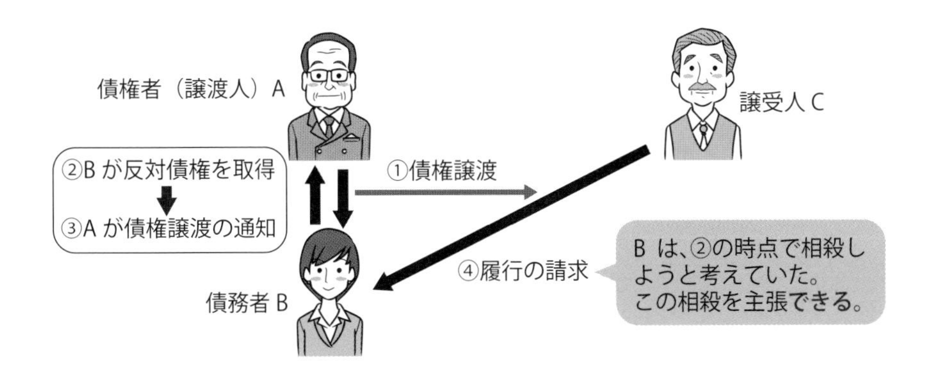

このテーマのまとめ

- 債権は、原則として、自由に譲渡できる。
- 譲渡の時点では発生していない、将来発生する債権についても譲渡は可能である。
- 当事者が債権の譲渡制限の意思表示をしたときでも、その債権譲渡の効力は妨げられない。ただし、その譲渡制限について悪意・重過失の譲受人等に対して、債務者は履行を拒める。
- 債権譲渡の「債務者」への対抗要件は、譲渡人が債務者に通知するか、債務者が譲渡を承諾することである。

話したくなる! Aさんが B さんに対して債務を負担している場合に、Aさんの債務をCさん（引受人）が引き受けて、Cさんが、Aさんが B さんに対して負担していた債務について新たな債務者となることを「債務の引受け」といいます。

Theme 11 売買契約の基礎知識

試験でも重要なポイントである契約を見ていきます。民法は様々な「契約」について規定していますが、基本となるのは「売買契約」です。

「売買契約」は、民法で規定されている様々な契約の考え方のベースとなります。「売買契約」の基礎知識を確認しましょう。

話したくなる! 民法では「典型契約」として、ベースとなる13種類の契約に対する規定があります。贈与、売買、交換、消費貸借、使用貸借、賃貸借、雇用、請負、委任、寄託、組合、終身定期金、和解の13種類です。

1 契約の成立について

民法では、**契約が成立**するためには、契約の**申込みと承諾の意思表示の合致**(がっち)（合意すること）を必要としています。

これは、契約は原則として**意思表示**の合致のみで足り、内心の意思の合致までは不要であること、契約の成立には、法令に特別の定めがある場合を除いて（たとえば、62ページの保証契約の締結など）、契約書面の作成その他の方式の具備が不要であることを意味します。

2 売買契約について

（1）売買契約の成立

日常で最も多く行われている「契約」は、売買契約でしょう。**売買契約**は、当事者の一方（**売主**）が、ある**財産権を相手方に移転**することを**約束**し、相手方（**買主**）が、これに対して**代金を支払うことを約束することで成立**する、双務(そうむ)・有償(ゆうしょう)・**諾成**(だくせい)契約です。

コンビニエンスストアで品物をレジへと持っていき、お金を支払うという行為も売買契約が行われています。もちろん、「これください」、「売ります」という意思表示は行われていませんが、品物をレジへ持っていく行為が売買契約の黙示(もくじ)の申込みであり、店員が支払いを請求することが、その申込みに対する黙示の承諾の意思表示といえます。

（2）売主・買主の権利と義務

売買契約が成立した場合、売主は買主に所有権などの財産権を移転する義務を負います。このとき、売主は買主に、登記、登録その他の売買の目的である権利の移転についての**対抗要件**を備えさせなければなりません。一方で買主には代金の支払義務があります。

売買契約のような双務契約では、相手方が債務の履行を提供するまでは、自分の債務の履行を拒むことができます（**同時履行の抗弁権**）。

用語解説 黙示と明示…「黙示」とは、しっかりと言葉で表現するわけではありませんが、一定の行動をすることが、一定の意思表示と受け取れる場合のことです。一方、「明示」とは、明らかに表現することです。ともによく使用される表現です。

3 売買契約の買主の救済手段

売買契約に何か問題が発生した場合、買主には次の４つの救済手段が設けられています。

①追完請求権（民法 562 条、565 条）
②代金減額請求権（民法 563 条、565 条）
③損害賠償請求権（民法 564 条、565 条、415 条）
④解除権（民法 564 条、565 条、541 条、542 条）

上の①から④までは「契約の内容に適合しない」履行があったときに、買主が行使できるものです。契約不適合（責任）などとも呼ばれています。何が「契約の内容に適合しない」ケースにあたるのかは、契約の性質、契約をした目的、契約締結に至る経緯など、契約をめぐる一切の事情に基づいて、取引通念を考慮して判断されるといわれています。

少なくとも試験対策上は、「契約の内容に適合しない欠陥があることが判明した」といった形で出題されるので、その場合には、上記の４つの救済手段が考えられるという点を押さえておきましょう。では、それぞれの救済手段を確認していきます。

4 「追完請求権」には、売主の帰責事由が不要です

引き渡された**目的物が種類、品質または数量に関して契約の内容に適合しない**ものであるとき、**買主は**、売主に対して、**目的物の修補、代替物または不足分の引渡しによる履行の追完を請求できます**。「追」って、履行を「完」成させるという意味です。

「修補」とは修理のこと、「代替物（の引渡し）」とは、代わりのちゃんとした物を請求することです。また、たとえば、買主が「代替物がほしい」と言ったものの、売主は「修理で済ませたい」と思った場合、**売主は、買主に不相当な負担を課するものでない**ときは、**買主が請求した方法と異な**

話したくなる! 改正前の民法では「瑕疵担保責任（かしたんぽせきにん）」という規定がありました。売買契約の目的物に瑕疵（欠陥）があった場合、損害賠償請求等ができるといった規定でしたが、この規定は削除され、契約不適合責任に置き換わりました。

る方法による履行の追完ができるとしています。この例でいえば、買主に不相当な負担がなければ、修理で済ませることができるというわけです。

ちなみに、**これら追完請求権の行使について、売主の帰責事由は不要です**。そもそも売主には、契約内容に適合した、ちゃんとした履行を行う義務があるからです。一方で、買主に帰責事由がある場合には、買主は追完請求をすることはできません。

追完請求権のまとめ

・売主の帰責事由は必要？　➡　**不要**（履行が**契約内容に適合しない**ことは必要）

▼

・買主は、何を行えるか？　➡　①目的物の**修補**請求
②**代替物**の引渡請求
③**不足分**の引渡請求

▼

・買主に帰責性がある場合でも、追完請求可能か？　➡　**できない**（民法 562 条 2 項）

・履行の追完方法について、買主と売主の意見が異なる場合の処理は？　➡　買主に**不相当な負担**を課すものでなければ、買主の希望と異なる方法で、売主は追完できる。

5 「代金減額請求権」も、売主の帰責事由が不要！

追完請求を行った場合において、**買主が相当の期間を定めて履行の追完の催告**をし、その**期間内に履行の追完がない**とき、買主は、その不適合の程度に応じて、**代金の減額を請求することができる**とし、代金減額請求は、**追完請求が前提**となっています。

また、そもそも追完ができない場合などは、催告なくして、代金減額請求ができます（民法 563 条 2 項）。そして、不適合が買主の責めに帰すべき場合は、代金減額請求はできません（同条３項）。

話したくなる！　これまでに述べたように、「追完請求」には３つの手段が規定されています。①目的物の修補請求、②代替物の引渡請求、③不足分の引渡請求、という具体的な３つの手段について、しっかり覚えておきましょう。

代金減額請求権のまとめ

・売主の帰責事由は必要？	➡	不要（履行が契約内容に適合しないことは必要）
▼		
・代金減額請求の要件は？	➡	①**追完請求を行ったこと** ②**相当の期間を定めて履行の追完の催告を行ったこと** ③**その期間内に履行の追完がないこと**
▼		
・減額の程度は？	➡	契約の**不適合の程度**に応じる
▼		
・買主に帰責性がある場合も、代金減額請求が可能？	➡	**できない**
▼		
・催告なくして、代金減額請求ができる場合は？	➡	①履行の追完が**不能** ②売主が履行の追完を**拒絶する意思を明確に表示**したとき ③いわゆる定期行為（※）について、売主が履行の追完をせず、その時期を経過した場合 ④**催告をしても、履行を追完してもらえない見込みが明らか**

（※）特定の日時または一定の期間内になされないと、目的を達することができない行為（結婚式用のドレスの購入など）

6 損害賠償請求と解除は、一般原則にて

最後に、76 ページの③**損害賠償請求権**と④**解除権**です。

まず**「損害賠償請求」**については、**債務不履行の一般原則に従う**こととされています。

つまり、54 ページから述べたように、債務の本旨ではない履行があっ

話したくなる! 原則として、代金減額請求の前提に「追完請求」が必要となる点は、出題されやすい内容です。売買契約に何か問題があった場合、「原則として、買主は、直ちに代金減額請求ができる」といった選択肢は誤りとなります。

た場合、債務者である売主に帰責性があれば、損害賠償請求ができます。

そして、**「解除」**についても、**解除の一般原則に従う**こととされますが、その結果、債務の本旨ではない履行があった場合、債務者である**売主に帰責性がなくても、解除ができます**。

売主の帰責性という観点から、4つの救済手段をまとめると、次のようになります。

買主の救済手段と売主の帰責性

買主の救済手段	売主の帰責性の要否
追完請求	不要
代金減額請求	不要
損害賠償請求	必要
契約の解除	不要

このテーマのまとめ

- 契約が成立するためには、契約の申込みと承諾の意思表示の合致が必要である。
- 売買契約は、売主が、ある財産権を相手方に移転することを約束し、買主が、これに対して代金を支払うことを約束することで成立する契約である。
- 売買契約のような双務契約では、相手方が債務の履行を提供するまでは、自分の債務の履行を拒むことができる（同時履行の抗弁権）。
- 売買契約に問題があった場合、買主には4つの救済手段が準備されている。それぞれの内容と要件を押さえておこう。

話したくなる! 売買契約の買主の4つの救済手段について、その契約に適合しない内容が目的物の種類と品質に関するものである場合（数量不足は除かれる）、買主が不適合を知った時から1年以内にその旨を売主に通知しなければならないという制約があります。

Theme 12 借地権（賃貸借契約を含む）の基礎知識

借地借家法に関する問題は、例年問 11 ～問 12 で出題されますが、民法上の賃貸借契約の話とセットで理解したほうがよいので、ここはセットで基礎知識を確認しておきましょう。

不動産の賃貸借契約については、民法の特別法として借地借家法の適用がありえます。どこが同じで、何が異なるのかを意識して学習しましょう。

用語解説　借地権…一般的に「借地権」とは、建物所有の目的で他人の土地を借りる権利のことを意味します。つまり、借地借家法が適用される“土地の賃借権”と考えればよいでしょう。

1 民法上の賃貸借契約に関する基礎知識

民法で規定されている**賃貸借契約**は、**賃貸人が賃借人に目的物を使用収益させる**ことを約束し、**賃借人が賃料を支払う**こと、また、目的物を**契約が終了したときに返還**することを**約束することによって成立**します。

「賃貸人の義務」としては、賃借人に目的物を使用収益させる義務があります。その他、目的物の修繕義務、賃借人が目的物の必要費・有益費を出したときの費用償還（しょうかん）義務などがあります。

「賃借人の義務」には、賃料支払義務と目的物返還義務、目的物について権利を主張する者がある場合の賃貸人に対する通知義務、賃借権の無断譲渡や目的物の転貸（てんたい）（又貸し）をしない義務などがあります。

賃貸借契約は、借主と貸主の信頼関係に基づき、目的物の使用を認める契約関係であるため、借主が第三者に賃借権を譲渡したり、目的物を転貸したりするには、貸主の承諾が必要とされています。

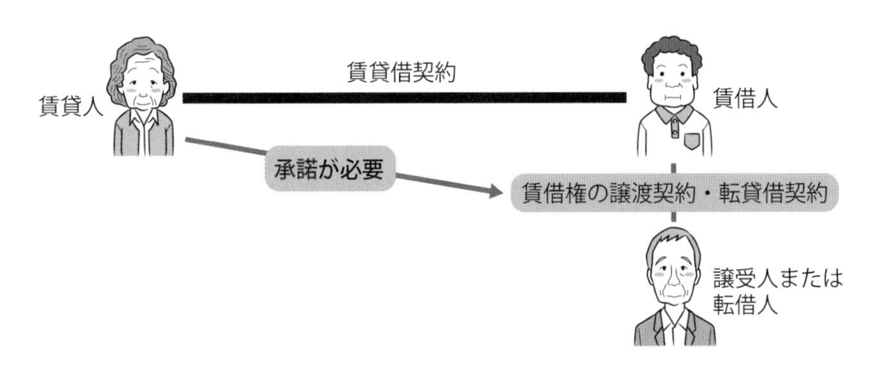

賃借人が、賃貸人の承諾を得て賃借権を第三者に譲渡した場合、賃借人は賃貸借契約から抜け出ますが、賃借人が、**賃貸人の承諾を得て目的物を第三者に転貸**した場合、**賃借人は、賃貸人との賃貸借契約を継続**することになります。

この場合、民法は次のように定めています。

①**転借人**は、賃貸人と賃借人との間の賃貸借に基づく**賃借人の債務の範囲を限度**として、**賃貸人に対して転貸借に基づく債務を直接履行する**

話したくなる! 上記①の「賃借人の債務の範囲を限度として」とは、もし転貸借契約の賃料のほうが高い場合、その高い賃料を賃貸人に支払う必要はありません。もともと賃貸人が「賃借人」に請求できた額までを支払えばよいということです。

義務を負うことになります。逆にいえば、**賃貸人は、転借人に対して直接賃料を請求**することができます。

②**賃貸人は、賃借人との間の賃貸借を合意により解除**したことをもって、**転借人に対抗することができません**。ただし、その解除の当時、賃貸人が賃借人の債務不履行による解除権を有していたときは、転借人に対抗することができます。

つまり、賃貸人と賃借人の間で、勝手に転貸借契約の基礎となる賃貸借契約を解除できるとすると、賃貸人は、転借人に目的物を返せと言えることになりかねません。そこで、適法に転貸借契約を結んだ場合、**賃貸借契約の合意解除**については、**賃貸人は転借人に、解除したから…と主張できない**こととなっています。

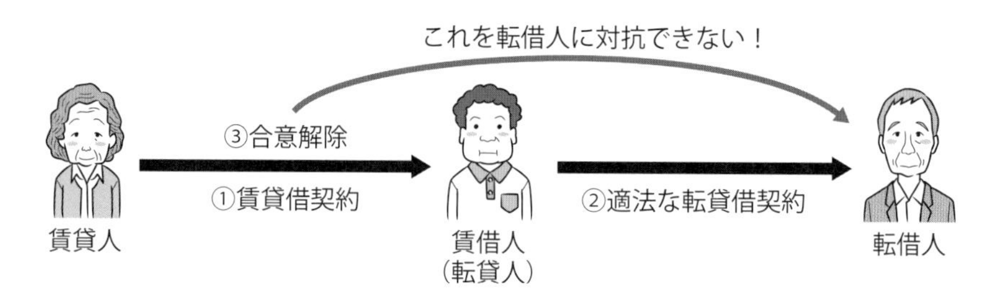

2 借地借家法（しゃくちしゃっかほう）上の借地権と民法上の賃借権

賃貸借契約の当事者は、自由に契約内容を決定できるとはいえ、不動産を貸すほうが優位な立場になり、賃借人の立場は弱いものになりがちです。住む場所は人の生活の基本ですので、借地や借家の法律関係について、特に**借主を保護**しようと成立したのが**借地借家法**です。

借地借家法が「適用」されれば保護強化！
借地借家法は、民法の特別法として借主保護を強化しています。借地借家法が「適用」されれば、借主の保護が強化されるので、まずは「適用されるケースか？」がポイントです。

用語解説 更地（さらち）…土地上に建物や土地工作物がない土地のことです。"まっさら"な土地というイメージでよいでしょう。基本的に、建物等が残っている土地よりも、土地の価格は更地のほうが高額になります。

借地借家法上の借地権とは、**建物所有を目的とする地上権または土地の賃借権**のことをいいます。つまり、**建物所有を目的としない土地賃借権などは、借地借家法が適用されません**。たとえば、更地を資材置き場として利用したり、平置きの駐車場として利用する場合には適用されないということです。

なお、借地借家法が適用される借地上の建物は、必ずしも住居のために用いることは必要でなく、店舗や工場、倉庫等に用いるためでもかまいません。

そして、**借地借家法が適用された場合の「借地権」**と、**民法上の土地賃借権**では、次のような違いがあります。

（1）賃借権の存続期間

民法では50年以下とされ、**契約でこれより長い期間を定めても50年に短縮**されます。

これに対し、**借地借家法**では、原則として、**存続期間を30年**としていますが、**契約でこれより長い期間を定めることが可能**です。つまり、**上限はない**ともいえます。

（2）期間満了後の取扱い

契約期間が満了すると、**民法**では、**原則として契約は終了**するものの、**合意による存続期間の更新**が認められています。

これに対し、**借地借家法**では、建物が存在する場合には、**原則として、存続期間を更新**したものとみなされます。

（3）対抗要件について

民法上、賃借権の対抗要件は登記とされています。これに対し、**借地借家法**では、**借地権の登記**または**借地上に借地権者が登記されている建物を所有**することとされています。

つまり、借地権自体の登記がなくとも、その**土地上に登記した建物を所有**していれば、その「土地」の対抗力も有することになります。これらを

話したくなる! 最初の契約の期間中に、地震や火災などによって借地上の建物が滅失した場合でも、借地権は消滅しません。

まとめると、下の表になります。

民法の「賃借権」と借地借家法の「借地権」の相違

民法：賃借権	項　目	借地借家法：借地権
原則：**50年**以下 **50年**より長い期間を定めた場合は、**50年**に短縮される	**存続期間**	原則：**30年** **30年**より長い期間を定めた場合は、**その期間**になる
原則として、**終了**	**期間満了時の取扱い**	原則として、**契約更新**
50年を超えることができない	**更新後の存続期間**	最初の更新は**20年**、その後は**10年**（以上）単位
賃借権の**登記**	**対抗要件**	借地権の**登記**または借地上の**登記**されている**建物**の**所有**→この場合の登記は権利の登記だけでなく表示の登記でもよい（107ページ参照）

3 借地借家法における建物買取請求権（たてものかいとりせいきゅうけん）

借地権の**存続期間が満了**し、契約の更新がないときは、**借地権者は**、借地権設定者に対して、**借地上の建物を時価で買い取るように請求**することができます。これを**建物買取請求権**といいます（借地借家法13条）。

債務不履行での解除では、建物買取請求できない！
借地権者の**債務不履行**により解除された場合には、建物買取請求権を行使することはできません。あくまで存続期間が満了した場合の話です。

用語解説　建物買取請求権…借地借家法では、契約期間が満了しても更新されることが原則です。しかし、更新を拒絶された場合、土地を更地にして返還するのは社会経済上もったいないので、土地上の建物を買い取ってもらおうとする権利です。

なお、借地上の建物を買い受けた第三者からも、借地権設定者に対する建物買取請求権が行使できる場合があります（同法14条）。具体的には、借地上の建物を第三者が取得したものの、借地権設定者が借地権の譲渡や転貸を承諾しない場合、第三者は建物の使用ができないので、借地権設定者に対して、建物を時価で買い取るように請求することができます。

4 借地借家法における定期（ていき）借地権

ここまで述べたように、借主は保護されているので、貸主にとってみれば、一度土地を貸すとなかなか返してもらうことができません。すると、貸す人が少なくなるという弊害が起こります。そこで、あらかじめ両者の合意により、**定めた借地期間が終了**すれば、**更新することがなく契約が終了**するという、特別の借地権が認められています。これが**定期借地権**といわれるものです。定期借地権には、以下の３つの種類があります。

3つの定期借地権の種類

①一般定期借地権	長期型の借地契約で、期間が50年以上とされます。 契約の更新がないこと、建物再築による借地期間の延長がないこと、建物買取請求を認めないことなどを主な内容として、その特約は、公正証書などの**書面によってしなければなりません**（電磁的記録による方法も認められます）。
②建物譲渡特約付借地権	中間型の借地契約で、期間は30年以上とされます。 借地期間経過後、借地権設定者が借地権者から相当の価格で建物を買い取り、借地権を消滅させる契約です。契約は口頭でよく、特別な書面は必要ありません。
③事業用定期借地権	比較的短期間でも締結可能な借地契約で、期間が10年以上30年未満のものと30年以上50年未満のものがあります。もっぱら事業の用に供する建物の所有を目的とし、**公正証書によって契約する必要**があります。

用語解説　公正証書…公証人法に基づき、法務大臣に任命された公証人が作成する公文書です。公正証書という形で文書を作成することで、その文書が確かなものであるという証明力が与えられます。

過去問 **令和元年度　問 11**

甲土地につき、期間を 50 年と定めて賃貸借契約を締結しようとする場合（以下「ケース①」という。）と、期間を 15 年と定めて賃貸借契約を締結しようとする場合（以下「ケース②」という。）に関する次の記述のうち、民法及び借地借家法の規定によれば、正しいものはどれか。

2　賃貸借契約が建物の所有を目的とする場合、公正証書で契約を締結しなければ、ケース①の期間は 30 年となり、ケース②の期間は 15 年となる。
3　賃貸借契約が居住の用に供する建物の所有を目的とする場合、ケース①では契約の更新がないことを書面で定めればその特約は有効であるが、ケース②では契約の更新がないことを書面で定めても無効であり、期間は 30 年となる。

正解は選択肢 3 です。選択肢 2 の賃貸借契約は**建物の所有を目的**としているため、**借地借家法が適用されます**。借地借家法は、借地権の**存続期間を 30 年**とし、契約で**これより長い期間を定めたとき**は、**その期間**とすることから、ケース①の期間は 50 年となり、「30 年」とする点で**誤っています**。また、ケース②の期間は 30 年となり、「15 年となる」とする点で**誤っています**。

このテーマのまとめ

- 民法上の賃貸借契約は、当事者間の約束のみで成立する契約である。
- 建物所有を目的とする土地賃貸借契約には、借地借家法が適用され、借主の保護が強化される。
- 問題では、民法上の土地賃借権と、借地借家法が適用された場合の借地権との違いが出題される。その前提として、どういった場合に借地借家法が適用されるのかを判断できるようにしよう。
- 更新制度がない「定期借地権」という借地権もある。

話したくなる！　2021 年 5 月に公布された「デジタル社会の形成を図るための関係法律の整備に関する法律」によって、幅広い分野で押印の廃止や、書面の電磁的記録による方法が認められるようになりました。

Theme 13 借家権（賃貸借契約を含む）の基礎知識

先ほどまでは「土地」を借りる場合の話でしたが、今度は「家を借りる」場合の話です。やはり借地借家法の適用がある場合、借主の保護が強化されます。

建物を借りる場合にも、存続期間や契約の終了時期、対抗要件について、民法と借地借家法の規定を整理して覚えるようにしましょう。

用語解説 借家権と建物賃借権…「借家権」という場合、借地借家法の適用がある建物の賃借権のこと、「建物賃借権」という場合、借地借家法の適用がない、民法上の建物賃借権のことをさすと考えましょう。

1 民法上の賃借権と借家権の相違

ここでも先ほどまでの話と同じく、**「民法上の建物賃借権」**と**借地借家法が適用された場合の「借家権」**との違いを確認しておきましょう。まずは、まとめを紹介します。

色々と異なる部分はありますが、注意すべきところは、**借地借家法が適用**される場合で、**「期間の定めのある」**場合、**貸主が期間満了を理由**として**借家契約を終了**させるための**更新拒絶**（こうしんきょぜつ）**の通知**には、**正当事由が必要**となる点です。

「民法上の建物賃借権」と「借家権」

内　容	民　法	借地借家法
存続期間	**50 年**以下	・**制限なし** ・**1 年未満の期間を定めた場合、期間の定めのない借家権**とみなされる
契約の終了時期	**期間の定めがある場合**	
	①原則として、期間に拘束され、**契約に定めた日**に終了する ②ただし、一方または双方がその期間内に解約する権利を留保する特約があれば、中途解約が可能。申入日から 3 か月を経過した時に終了する	①**賃貸人**には**正当の事由**がある場合に中途解約権あり。解約申入日から 6 か月後に終了する（解約を留保する特約があれば、賃借人も中途解約が可能） ②**期間満了 1 年前から 6 か月前の間に更新拒絶の意思表示**をし、かつ、**更新を拒絶する正当の事由**がある場合に、**期間満了により終了**する ③賃貸人が、期間満了後に賃借人が使用収益を続けているのを放置すると、契約は更新される。この場合、期間の定めのないものとされる

（次ページへ続く）

用語解説 中途解約…契約期間中に、貸主または借主が、賃貸借契約を一方的に解約することを意味します。期間の定めのある契約においては、原則として、この中途解約は認められません。

	期間の定めがない場合	
契約の終了時期	①**両当事者**とも、**いつでも解約の申入れ**ができる ②**解約申入れから3か月を経過した時**に終了	①**両当事者**とも、**いつでも解約の申入れ**ができる。ただし、**賃貸人には、正当な事由が必要** ②賃貸人からの場合：**解約申入れから6か月を経過した時**に終了 ③賃借人からの場合：**解約申入れから3か月を経過した時**に終了
対抗要件	賃借権の**登記**	賃借権の**登記**または、賃借人が**建物**の**引渡し**を受けたこと

2 借地借家法の「借賃増減請求権」について

その他、借地借家法においては、**建物の借賃**が、土地や建物に対する税金やその他の負担の高騰、あるいは近隣の建物の借賃に比べて**不相当となった**場合、**当事者は、借賃の増額や減額を請求できます。**

もっとも、一定期間借賃を増額しないという特約がある場合には、値上げはできません。

なお、借賃の増額について、当事者間で話しあいがつかない場合は、借主は増額が正当であるとする裁判が確定するまでは、相当と認める額の借賃を支払えばよいことになっています。

また、借賃の減額についても、当事者間で話しあいがつかない場合は、貸主は減額が正当であるとする裁判が確定するまでは、相当と認める額の家賃を請求することができます。

3 借地借家法の「造作買取請求権（ぞうさくかいとりせいきゅうけん）」について

84ページでは、「借地権」の契約期間が満了した場合、借主は「建物」の買取請求が行える話をしましたが、「借家権」についても、似たような

話したくなる! 宅建士試験は、試験が行われる年の4月1日時点で「施行」されている法令等を基準に問題が出題されます。そして、新たに施行された法令は出題されやすいので注意しましょう。

権利があります。**賃貸人の同意を得て建物に付加した建具、畳、その他の造作**（たとえば、エアコンなど）がある場合、**建物の賃貸借が期間の満了**または**解約の申入れによって終了**するときに、賃貸人に対して、その**造作を時価で買い取ることを請求**できます。

4 借地借家法の「定期建物賃借権（定期借家権）」について

契約で定めた期間の満了によって、契約が確定的に終了し、原則として、契約の更新がない借家権のことを「定期建物賃貸借」といいます。通常の借家権と異なり、以下の制約がある点が注意です。

①公正証書等の**書面**によって、契約が締結されなければなりません（電磁的記録による方法も認められます）。

②賃貸人は、賃借人に対して、**あらかじめ契約の更新がない**ことなどについて記載した書面を交付して説明しなければなりません。ただし、書面の交付に代えて、賃借人の承諾を得て、電磁的方法により提供することもできます。この説明がなかったとき、普通の借家契約になってしまいます。

③期間が１年以上ある場合には、賃貸人は、期間満了の１年前から６か月前までの間に、賃借人に対して期間満了で契約が終了する旨の通知をしなければ、終了を賃借人に対抗することができません（これに反する特約は無効です）。

このテーマのまとめ

・借地借家法における借家契約では、借賃増減請求権、造作買取請求権が認められている。

・定期建物賃借権は、あらかじめ契約の更新がないことなどについて記載した書面を交付して（電磁的方法も可）説明しなければならない。

話したくなる!　民法において「○○の場合は賃貸借契約を解除できる」という規定があっても、賃貸人と賃借人の信頼関係が破壊されたといえる事情がないと、賃貸借契約は解除できません。これを信頼関係破壊の法理といいます。

Theme 14 相続法(そうぞくほう)の基礎知識

相続法はおおむね1問出題されます。民法の他分野である物権や債権と絡めて出題されない場合、基礎的な知識が出題されています。まずは基礎的な知識を身に付けましょう。

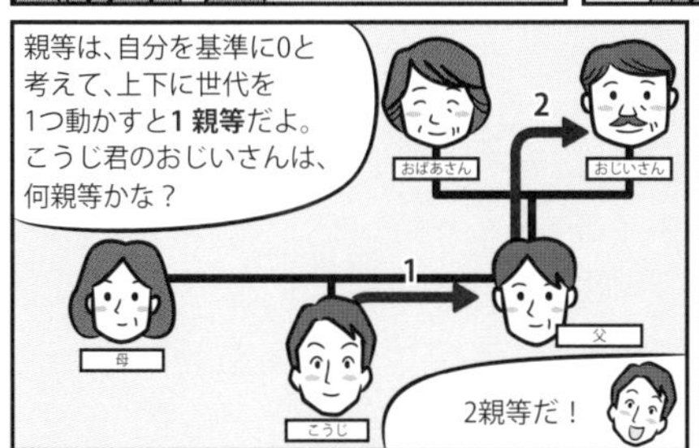

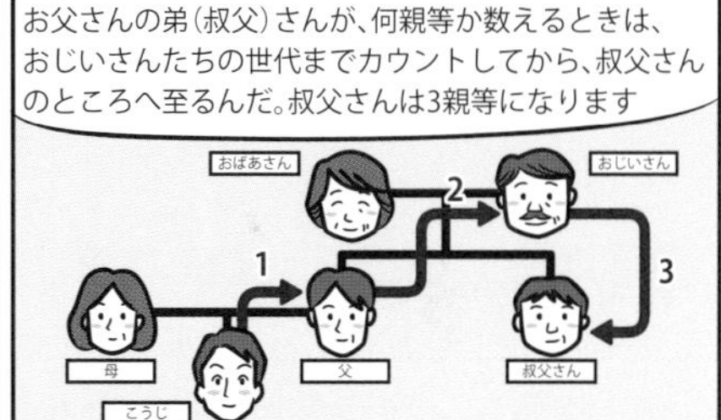

相続とは、死んだ人と一定の親族関係に立つ人が、その人の財産上の法律関係を当然に承継することです。

用語解説　相続人と被相続人…「相続人」とは、財産を相続する人のこと、「被相続人」とは、自らの財産を相続される人（死亡した人）のことを意味します。これらの用語は、自然に使えるくらいにまで慣れておきましょう。

1 誰が相続人(そうぞくにん)となるのか、が学習のスタートです！

相続と聞いて、どのような内容かがピンとこない人はいないと思いますが、相続は、原則として、**人の死亡によって開始**します（民法882条）。**相続の対象となる財産（相続財産）**は、**被相続人が死亡時に有していたプラス、マイナスの財産の総体**であり、これが一般に遺産といわれます。負債や保証人・連帯保証人としての地位も、相続財産であることに注意しましょう。

相続の学習は、**誰が「相続人」となるのかの把握**が学習のスタートといえます。これは民法に規定があり、**「法定相続人」**といいます。

・**配偶者がいる**場合、**常に相続人**となる（民法890条）。
⇒そのうえで「**配偶者と○○**」という形で、以下の**順位が高い者のみ相続人**となる。

第1順位：被相続人の**子**（民法887条1項）。
⇒もし子が先に死亡していて、孫がいる場合、子に代わって孫が相続します（代襲(だいしゅう)相続という。同条2項）。
第2順位：被相続人の**直系尊属**（民法889条1項1号）。
⇒父母と祖父母というように親等の異なる者の間では、親等の近いほう（父母）が相続人となります。
第3順位：被相続人の**兄弟姉妹**（同条同項2号）。
⇒兄弟姉妹が先に死亡していて、その兄弟姉妹の子がいる場合、その子が代襲相続します（同条2項）。

内縁の妻は「相続人」となりません
ここでいう配偶者とは、法律上婚姻している者のみをいい、いわゆる内縁の妻は、相続人にはなりません。

用語解説　内縁…実質的に婚姻生活を行っていますが、法律上の届出を行っていないことから、法律上の婚姻と認められない夫婦の状態を意味します。相続もそうですが、一部を除いて、法律上の婚姻をした者に認められる法律上の効果が、認められません。

よく勘違いされる部分ですが、第１順位〜第３順位の者がいる場合、第３順位の者までが、すべて法定相続人となるわけでは**ありません。**

配偶者がいる場合、配偶者は常に相続人となりますが、たとえば、**それに加えて、子と親（直系尊属）がいる場合、相続人となるのは、配偶者と順位の高い子のみ**です。仮に配偶者がいない場合、順位の高い者が、**単独**で相続人になります。

相続人を指定することもできます

被相続人は、誰を相続人とするのかを遺言（いごん）で指定することもできます。このような指定がない場合、民法で定められる法定相続人の規定で、相続人が決まります。

2 相続人が決まれば、次に「相続分」が問題になります

誰が相続人となるのかが決まれば、次に各相続人が、どのくらいの割合で遺産を相続するのかという「相続分」が問題となります。この相続分についても、被相続人は指定しておくこともできますが、そのような指定がない場合、民法に規定される**「法定相続分」**で割合が決まります。この法定相続分は、次のとおりです。

法定相続分

①**配偶者と子**が相続人の場合（民法 900 条 1 号）。
⇒ともに **2 分の 1** ずつ。
②**配偶者と直系尊属**が相続人の場合（同条 2 号）。
⇒配偶者は **3 分の 2**、直系尊属が **3 分の 1**。
③**配偶者と兄弟姉妹**が相続人の場合（同条 3 号）。
⇒配偶者は **4 分の 3**、兄弟姉妹が **4 分の 1**。

用語解説 尊属（そんぞく）…自分よりも目上の人、と考えればよいでしょう。自分を基準にすれば、父母や祖父母を直系尊属といい、おじやおばは傍系（ぼうけい）尊属といいます。ちなみに、自分よりも下の世代の者を「卑属（ひぞく）」といいます。

ちなみに、**配偶者と子が２人**いる場合でも、**子の（全体の）相続分は２分の１**なので、**その２分の１を２人で分けあう**ことになります。つまり、**２人の子のそれぞれの相続分は、４分の１ずつ**となります。

では、次の例における「法定相続人」と「法定相続分」はどうなるでしょうか。

被相続人 A に配偶者 B、子 CD（2 人）、父母がいる場合（財産は 3,000 万円とする）

まず、**相続人となるのは、配偶者 B と２人の子 CD** です。第２順位の父母（直系尊属）は、相続人と**なりません**。

そして、**配偶者と子の法定相続分は２分の１ずつ**なので、**配偶者 B は 1,500 万円、子 CD は合わせて 1,500 万円**となり、**CD 各自の相続分は 750 万円ずつ**となります。

過去問　平成 29 年度　問 6

Aが死亡し、相続人がBとCの２名であった場合に関する次の記述のうち、民法の規定及び判例によれば、正しいものはどれか。

1　①BがAの配偶者でCがAの子である場合と、②BとCがいずれもAの子である場合とでは、Bの法定相続分は①の方が大きい。

被相続人の配偶者が、被相続人の死亡時に被相続人が所有する建物に住んでいた場合、配偶者の居住権を保障するために、終身もしくは一定期間、無償で住み続けられる配偶者居住権・配偶者短期居住権の制度があります。

パズルのような問題ですが、考えていきましょう。①のように、子及び配偶者が相続人であるとき、**子と配偶者の相続分は、各2分の1**です。そして、②のように、**数人の子のみが相続人**であるときは、各自の相続分は等しいものとなり、**本問では各2分の1**となります。よって、**①の場合も②の場合も、Bの法定相続分は2分の1で、変わりません。**

3 相続の「承認」と「放棄（ほうき）」

相続財産は、プラスの場合もあればマイナスの場合もあります。そこで、「私は相続しない！」と相続を放棄することもできます。

相続が発生したことを知ったとき、相続人には、相続財産の内容を調査するために**3か月間の熟慮期間**が与えられ（民法915条）、この期間内に相続財産の内容を調査したうえで、**単純承認、限定承認、放棄のいずれかをしなければなりません。**

単純承認、限定承認、放棄の相違

相続の形態	内容	手続等
単純承認（920条）	被相続人の権利義務を全部承継する（プラス・マイナスすべての財産を承継）	家庭裁判所への申述などの方式は**不要**（※）
限定承認（922条）	相続によって得た財産の限度においてだけ、被相続人の債務及び遺贈を弁済する（相続財産のプラスの限度で借金などの債務を弁済すればよい）	**家庭裁判所**への**申述**が必要（924条）。相続人が複数いる場合、限定承認は、**全員**が**共同**してしなければならない（923条）
相続の放棄（939条）	被相続人の財産をすべて承継しないという相続人の行為	**家庭裁判所**への**申述**が必要（938条）。相続人が複数いる場合でも、単独ですることが**できる**

※単純承認の意思表示をしなかった場合でも、相続人が、相続財産の一部でも処分するなどの行為を行うと、単純承認したものとみなされます（921条、法定単純承認）。

用語解説 限定承認…上の内容だけだとわかりづらいかもしれませんが、相続するプラス財産で返済できる分だけ、マイナス財産も相続するということです。結果的には、相続によって承継する財産は±ゼロになります。

4 その他、相続にまつわる基礎知識

(1) 遺産分割(いさんぶんかつ)について

遺産分割とは、相続人が複数の場合に、相続人となる者たちが話しあって(遺産分割協議)、遺産の分け方などを決める手続です。つまり、法定相続分に従わず、遺産分割によって、相続分などを決めることもできます。

共同相続人は、原則として、**いつでも遺産の分割を請求することができます**。ただし、**被相続人が遺言**で、**相続開始時から5年を超えない期間を定めて、遺産の分割を禁止**することもできます。また、**共同相続人の契約**や**家庭裁判所の審判**で**5年**以内の期間を定めて、遺産の全部または一部の分割を禁止することができます(ただし、その期間の終期は、相続開始時から10年を超えることができません)。

(2) 遺言について

遺言は、遺言者の最終の意思を明確にする行為です。意思能力のない者がした遺言は無効となりますが、遺言には行為能力の制限を理由とした取消しの適用がありません。なぜなら、もはや本人は亡くなっているので、本人を保護する必要はないからです。**15歳以上**であれば、**未成年者でも単独で有効に遺言をすることができます**。

また、遺言者の死亡後に意思を確認することができないことから、遺言は民法が定める方式でしかすることができません。この方式には、「普通方式」と遺言者が特殊な状況下にある場合の「特別方式」とがあります。

一般的な遺言のイメージとしては、「普通方式」における「自筆証書遺言」がそれにあたるでしょう。これは、遺言者が自ら書く遺言です。

遺言者が遺言の**全文**、**日付**及び**氏名**を自書し(資料として添付する財産目録は自筆**不要**、各ページへの遺言者の署名押印でよい)、これに印を押す方式になります。

この他、「普通方式」の遺言には、公証人に携わってもらい作成する**公正証書遺言**や、遺言の内容を自分が死ぬまで秘密にしておきたい場合に用いられる**秘密証書遺言**があります。

用語解説 特別方式の遺言…たとえば、遺言者に命の危機が迫り、署名押印ができない状態の場合に、口頭で遺言を残し、証人が代わりに書面化するなどの一般危急時遺言などがあります。

(3) 遺留分（いりゅうぶん）について

遺留分とは、相続に際して相続人に保障されている相続財産の一定の割合をいいます。遺産のうち相続人に留保される部分と考えましょう。つまり、相続には残された相続人の生活を保障しようという趣旨があります。そこで、被相続人が、生前贈与や遺贈などで財産を処分したとしても、一定額は、相続人に遺産を確保させようとするのが遺留分なのです。

遺留分を有する者（遺留分権利者）は、**兄弟姉妹を除いた相続人**です。すなわち、配偶者、子、直系尊属が遺留分権利者です（民法 1042 条）。

相続開始前に、遺留分の放棄もできる

遺留分は、相続開始前においても、**家庭裁判所の許可**を受ければ放棄できます（同法 1049 条 1 項）。相続開始前に、わざわざ遺留分を放棄する手続を行うのは、よほどのことです。誰かに強制されていないかの確認が必要なのです。

遺留分の割合は、結論をいってしまえば、次のようになります。

①**直系尊属のみが相続人**であるとき　→法定相続分の 3 分の 1
②**その他の場合**　→法定相続分の 2 分の 1

遺留分の規定は複雑で読みづらいですが、まとめるとこのようになります。原則として、**法定相続分の 2 分の 1** と考えていればよいでしょう。

そして、この遺留分を侵害されているとわかった場合、**遺留分権利者は、遺留分を侵害している者に対して金銭債権を取得**することができます。つまり、お金で解決するということです。

話したくなる！　遺留分算定の基礎になる財産の価額は、被相続人が相続開始の時に持っていた財産の価額に、その贈与した財産の価額を加え、その中から債務の全額を控除して計算します。

過去問 平成20年度　問12

> Aには、相続人となる子BとCがいる。Aは、Cに老後の面倒をみてもらっているので、「甲土地を含む全資産をCに相続させる」旨の有効な遺言をした。この場合の遺留分に関する次の記述のうち、民法の規定によれば、正しいものはどれか。
>
> 1　Bの遺留分を侵害するAの遺言は、その限度で当然に無効である。

選択肢1は**誤り**です。遺留分を侵害するような遺言がなされた場合、その遺言自体が無効になる**わけではありません**。遺留分権利者及びその承継人（遺留分権利者が亡くなった場合の相続人などのこと）は、遺留分を侵害する受遺者（じゅいしゃ）（遺言を受けた者）などに対して、遺留分侵害額に相当する**金銭の支払い**を請求することができます。

遺留分侵害への対応は要注意
遺留分を侵害された場合の対応（**金銭債権**の取得）については、出題可能性があるので注意しておきましょう。

このテーマのまとめ

- 「法定相続人」について、配偶者がいる場合は、配偶者は常に相続人となる。そのうえで、**「配偶者と○○」**という形で、**順位が高い者のみ相続人**となる。
- 相続が開始した際、相続人は、単純承認、限定承認、放棄のいずれかをしなければならない。
- 遺留分が侵害された場合、遺留分権利者は、受遺者等に対して金銭債権を取得する。

用語解説　受遺者…遺贈（遺言によって財産を得ること）によって、相続財産を譲り受ける人のことです。この人が悪いわけではありませんが、この遺贈が遺留分を侵害することがあります。なお、「贈与」によって、財産を譲り受ける者のことを「受贈者」といいます。

Theme 15

区分所有法

一般的にマンションと呼ばれるような建物のことを区分所有建物といい、そのマンション居住者及び所有者のルールを定めたものが区分所有法です。

ここでは、マンションの各部分を賃貸する、いわゆる賃貸マンションのことではなく、各部分を譲渡する分譲マンションについて見ていきます。

用語解説　区分所有権…１棟の建物に構造上区分された数個の部分で、かつ独立して住居や店舗などの用途に使える場合に、各部分をそれぞれ別々の所有権の目的とすることができるものです。

1 専有部分と共用部分

（1）専有部分

区分所有権の対象となる建物の部分を**専有部分**といいます。

（2）共用部分

専有部分以外の部分、専有部分に属しない建物の附属物及び規約により共用部分とされた附属の建物を**共用部分**といいます。共用部分はさらに、法定共用部分と規約共用部分に分かれます。

①法定共用部分

法定共用部分とは、構造上の共用部分で、たとえば、エレベーター、廊下、階段、ロビー等の、構造上区分所有者の全員、またはその一部の共用に供される建物の部分です。この法定共用部分は、登記はされません。

②規約共用部分

規約共用部分とは、本来は専有部分となりうるのですが、規約により共用部分とした建物の部分及び附属の建物のことです。たとえば、管理人室とか集会室等がこれにあたります。この規約共用部分は、その旨の登記をしなければ第三者に対抗できません。

（3）共用部分等の持分の割合と費用負担

共用部分は、原則として区分所有者の共有に属します。そして、各共有者の持分は、その有する専有部分の床面積の割合によって決まりますが、その床面積は、壁その他の区画の内側線で囲まれた部分の水平投影面積によるものとされています。この面積算出方法を**内法**方式と呼びます。

そして、各共有者は共用部分をその用法に従って使用することができます。また、共有者はその**持分に応じて**共用部分に関する費用を負担し、共用部分から生じる利益を得るのです。

用語解説　規約…区分所有者が決める、そのマンションのルールだと考えましょう。規約は管理者が保管し、保管場所を建物内の見やすい場所に掲示します。

（4）共用部分の管理

区分所有法は、共用部分の管理について、民法の共有に関する規定を修正した特別な規定を定めています。

行為の種類	行使の方法	注意点
①保存行為	各区分共有者が単独で行使することができる	民法の規定と同じ。ただし、規約で別段の定めをすることができる。
②利用行為・改良行為・軽微変更行為	区分所有者及び議決権の各**過半数**の賛成による集会の決議	・軽微な変更とは、「共用部分の形状または効用の著しい変更を伴わないもの」をいう。マンションの外壁や屋上の防水工事、給排水管の取り換え工事等。 ・ただし、規約で別段の定めをすることができる。
③重大変更行為	区分所有者及び議決権の各**4分の3**以上の賛成による集会の決議	「形状または効用の著しい変更を伴う」変更のことをいう。階段室をエレベーター室にする、集会室を貸事務所にすることなどがこれに該当する。

2 区分所有建物等の管理

区分所有建物の管理は、原則として区分所有者全員で行います。そして、区分所有者が複数存在することとなったときには、管理組合（かんりくみあい）が構成され、区分所有者は全員管理組合の構成員となります。

（1）管理組合

区分所有者は、全員で、建物並びにその敷地及び附属施設の管理を行うための団体を構成します。この団体を**管理組合**と呼びます。管理組合は、集会を開き、規約を定め、管理者を置くことができます。

話したくなる！　マンションの玄関扉は自宅の一部分なので専有部分と思われがちですが、外側が共用部分となっており、原則として交換するなどの変更を加えることはできません。

（2）管理者

管理者は、規約で別段の定めがない限り、集会の**普通決議**で選任・解任されます。管理者の職務には次のものがあります。なお、管理者は区分所有者の代表であり、いわゆる管理人さんとは違います。

職　務	内　容
①規約の保管、閲覧	・規約は、管理者が保管しなければならない。ただし、管理者がいないときは、建物を使用している区分所有者またはその代理人で規約または集会の決議で定める者が保管しなければならない。 ・規約を保管する者は、利害関係人の請求があったときは、正当な理由がある場合を除いて、規約の閲覧を拒んではならない。 ・規約の保管場所は、建物内の見やすい場所に掲示しなければならない。
②集会招集、事務の報告	・管理者は、少なくとも毎年１回集会を招集しなければならない。 ・管理者は、集会において、毎年１回一定の時期に、その事務に関する報告をしなければならない。

また、100ページで取り上げた共用部分は区分所有者の共有に属しますが、規約に特別の定めがあるときは、**管理者**を共用部分の所有者と定めることもできます。

3 規約及び集会

（1）規約

建物またはその敷地もしくは附属施設の管理または使用に関する区分所有者相互間の事項は、区分所有法に定めるもののほか、規約で定めることができます。

規約で定める事項には、規約でしか定めることのできない事項と、規約

用語解説　普通決議…集会において区分所有者及び議決権の各過半数の賛成で決議されることをいいます。その一方で、４分の３以上などで決議される重要なもののことを特別決議といいます。

に限らず集会でも定めることができる事項があります。

規約の**設定、変更または廃止**は、区分所有者及び議決権の各**4分の3**以上の多数による**集会の決議**によって行います。

最初に建物の専有部分の全部を所有する者は、公正証書により、①**規約共用部分**の定め、②建物が所在する土地以外の土地を建物の敷地（**規約敷地**）とする定め、③専有部分と敷地利用権とを**分離処分**することができる旨の定め、④各専有部分と一体化される敷地利用権の**割合**に関する定めを設定することができます。

（2）集会

①集会の招集

管理者は、少なくとも**毎年1回**集会を招集しなければなりません。管理者がいないときは、区分所有者の**5分の1**以上で議決権の**5分の1**以上を有するものが集会を招集することができます。なお、この定数は、規約で減ずることができます。

また、区分所有者の**5分の1**以上で議決権の**5分の1**以上を有するものは、管理者に対し、会議の目的たる事項を示して、集会の招集を請求することができます。なお、この定数は、規約で減ずることができます。

②集会の招集手続

集会の招集の通知は、開催日より少なくとも**1週間前**に、会議の目的たる事項を示して、各区分所有者に発しなければなりません（この期間は、規約で伸縮することができます）。

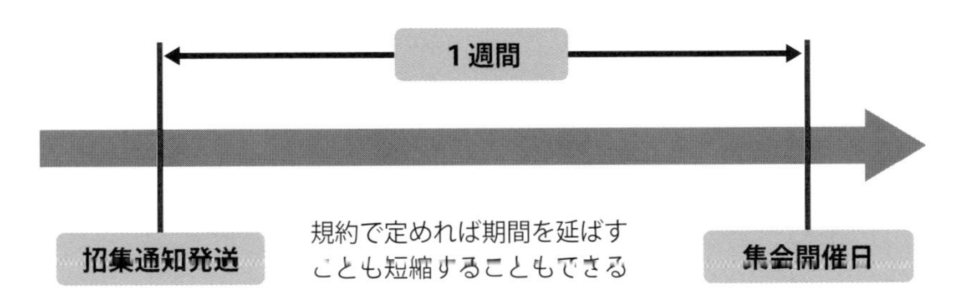

話したくなる! 集会の招集手続は区分所有者全員の同意があれば省略することができます。このため、たまたま区分所有者全員が集まっているときに「集会を開きましょうか」「そうしましょうか」と全員の同意を得られた場合にも、開催することができます。

共有の場合の招集通知

専有部分が数人の共有に属するときは、招集通知は、議決権を行使すべき者（その者がいないときは、共有者の１人）にすればよいことに注意しましょう。

なお、集会は、区分所有者全員の同意があるときは、招集の手続を経ないで開くことができます。

③集会における議決権の行使

議決権は、書面による行使や代理人による行使も認められています。

また、規約または集会の決議により、書面による議決権の行使に代えて、電磁的方法によって議決権を行使することもできます。

専有部分が数人の共有に属するとき

専有部分が数人の共有に属するときは、共有者は、議決権を行使すべき者１人を定めなければなりません。

④区分所有者の承諾を得て専有部分を占有する者

区分所有者の承諾を得て専有部分を占有する者とは、その部屋の賃借人をイメージしてください。こうした占有者が、会議の目的となる事項について**利害関係がある**場合、集会に出席して**議決権を行使することはできませんが、意見を述べることはできます。**

4 復旧・建替え

建物の老朽化や天災により、建物がダメージを受けた場合、建物の一部が滅失し、その滅失した部分が建物の価格の２分の１以下である状態を小規模滅失、建物の一部が滅失し、滅失した部分が建物の価格の２分の１を超える状態を大規模滅失といいます。建物の復旧や建替えが必要となった場合における必要な議決・必要議決数は次のとおりです。

話したくなる！ 区分所有者の団体は、区分所有者の数にかかわらず、区分所有者及び議決権の各４分の３以上の多数による集会の決議を経て、管理組合法人になることができます。

決議内容	議　決	区分所有者及び議決数
小規模滅失の場合の共用部分の復旧決議	普通決議	各過半数
大規模滅失の場合の共用部分の復旧決議	特別決議	各3/4以上
建替え決議		各4/5以上

過去問　令和3年度10月　問13

建物の区分所有等に関する法律（以下この問において「法」という。）に関する次の記述のうち、誤っているものはどれか。

2　形状又は効用の著しい変更を伴う共用部分の変更については、区分所有者及び議決権の各4分の3以上の多数による集会の決議で決するものであるが、規約でこの区分所有者の定数を過半数まで減ずることができる。
4　各共有者の共用部分の持分は、規約に別段の定めがある場合を除いて、その有する専有部分の床面積の割合によるが、この床面積は壁その他の区画の中心線で囲まれた部分の水平投影面積である。

選択肢4が誤りです。各共有者の持分は、原則として専有部分の床面積の割合によりますが、この床面積は、壁その他の区画の内側線で囲まれた部分の水平投影面積によります。

このテーマのまとめ

- 建物等の管理や使用に関する区分所有者相互間の事項は、区分所有法に定めるもののほか、規約で定めることができる。規約で定める事項には、規約でしか定めることのできない事項と、規約に限らず集会でも定めることができる事項がある。
- 集会では各種の決議が行われる。内容と議決数を覚えよう！

話したくなる! 区分所有法または規約により集会において決議すべきものとされた事項については、区分所有者全員の書面または電磁的方法による合意があったときは、書面または電磁的方法による決議があったものとみなされます。

Theme 16 不動産登記法

（ふどうさんとうきほう）

不動産登記は、不動産の取引が安全かつスムーズに行われるようにするための制度です。不動産（土地・建物）を登記する方法について規定している法律が不動産登記法です。

　不動産登記によって、不動産の場所や大きさ、構造などの状態と、誰が所有しているかといった権利関係がわかります。

用語解説 法務局…法務省の地方組織の1つとして、登記や戸籍、供託などの民事行政事務や、国の利害に関係のある訴訟活動を行う訟務事務、国民の基本的人権を守る人権擁護事務を行っています。

1 表示の登記と権利の登記

(1) 表示の登記

不動産の**表示に関する登記**は、権利の対象となる土地・建物自体の物理的状況（不動産の大きさや構造等）を明らかにするため、登記記録の**表題部**になされる登記です。表示の登記には、主に次の事項が記載されます。

土地：所在・地番・地目・地積
建物：所在・家屋番号・種類・構造・床面積

表示の登記は、不動産の同一性を公示するための登記であり、権利関係を公示するものではありません。そのため、そもそも対抗力の取得とは無関係であり、原則として対抗力は認められません。

表示の登記では、所有者には登記の申請義務が課されており、建物を新築した場合や建物を取り壊した場合には、その原因が生じた日から**1か月**以内に登記の申請をしなければなりません。

(2) 権利の登記

不動産の**権利に関する登記**は、権利変動を第三者に対抗するためになされる登記で、登記記録の**権利部**になされます。権利に関する登記については、法は登記をすることができる権利として、所有権、地上権、永小作権（えいこさくけん）、地役権（ちえきけん）、先取特権、質権、抵当権、賃借権、配偶者居住権及び採石権の**10種類**に限って認めています。表示の登記とは違い、原則として、申請義務はありませんが、相続によって不動産を取得した相続人は、その所有権の取得を知った日から**3年以内**に相続登記の申請をしなければなりません。

用語解説 地目…土地をその利用状況によって区分したもので、「宅地」や「畑」「山林」など、20種類以上に分けられています。なお、「宅地」とは建物の敷地及びその維持、もしくは効用を果たすために必要な土地とされており、住居に限りません。

2 登記申請手続

不動産登記法では、不動産の権利に関する登記手続について、**申請主義の原則**と、**共同申請の原則**を採用しています。

(1) 申請主義の原則

登記は、法令に特別の定めがある場合を除き、原則として、当事者の申請または官公署の嘱託(しょくたく)に基づいてなされます。したがって、登記官は原則として、当事者の申請または官公署の嘱託なしに登記することはできません。また、申請は代理人によることもできます。

(2) 共同申請の原則

権利に関する登記は、登記権利者及び登記義務者が**共同して申請**するのが原則です。

例外的に単独申請が認められるのは、判決による登記、相続による登記、登記名義人の表示の変更登記等です。

(3) 登記事項証明書

登記が完了すれば、誰でも登記記録に記録されている事項の全部または一部を証明した書面（登記事項証明書という）の交付を請求できます。原則として、請求したい不動産を管轄する登記所以外の登記所でも登記事項証明書を請求することができます。

このテーマのまとめ

・表示に関する登記は、権利の対象となる土地・建物自体の物理的状況を明らかにするため、登記記録の表題部になされる。
・権利に関する登記は、権利変動を第三者に対抗するため、登記記録の権利部になされる。

話したくなる! 上記（1）申請主義の原則にある「法令に特別の定めがある場合」としては、不動産の表示に関する登記や登記官の過誤による登記の更正等があります。

第2章

宅地建物取引業法

Theme 1 宅地建物取引業法の定義

宅地建物取引業とはどのような行為のことなのでしょうか。また、どのような場合に宅建業の免許が必要となるのでしょうか。詳しく見ていきましょう。

宅建業とはどのような行為をさすのか、図でイメージしながら理解していきましょう。

用語解説 業として行う…「宅地建物取引業法の解釈・運用の考え方」では、宅地建物の取引を社会通念上事業の遂行とみることができる程度に行う状態とされており、広く一般の人に対し、反復継続して取引を行うことをいいます。

1 宅地・建物

宅地とは、建物の敷地に供せられる土地をいい、登記の地目が宅地となっているものに限りません。

用途地域内であれば、建物の敷地に供せられる土地でなくても、道路・公園・河川・広場・水路以外であればすべて宅地です。

また、建物においてはアパートの一室なども取引の対象になることから、建物の一部も含まれます。

2 宅地建物取引業

宅地建物取引業（宅建業）とは、宅地または建物について、**業として**行う、次の３種類の行為をいいます。

①自ら売買・交換を行う場合
②代理して売買・交換・貸借を行う場合
③媒介して売買・交換・貸借を行う場合

その業務が宅建業に**該当する**場合には、必ず宅建業の**免許**を受けなければなりません。ただし、自ら貸借を行う場合は宅建業には該当しないので、免許を受ける必要はありません。なお、自ら貸借を行う場合には、**転貸**も含まれます。

宅建業の免許が必要な行為

	売買（交換）	貸借
自ら	該当する	**該当しない**
代理	該当する	該当する
媒介	該当する	該当する

話したくなる! 実家の住居を相続して、それをそのまま売却するといった場合には宅建業の免許は不要ですが、広大な敷地を区画割して不特定多数の人に分譲するといった場合には、宅建業の免許が必要です。

3 代理と媒介

代理と**媒介**は、他人が所有する宅地・建物の売買や交換、貸借に協力する行為です。いずれも、宅建業の免許を受けないと行うことができません。

媒介とは、依頼によって、当事者双方の間に立って、売買等の成立に尽力する行為で、通常「**仲介**」といわれています。成立に尽力するだけですので売買等の契約に対する決定権はありません。

代理とは、一定の者（代理人）の法律行為の効果が本人に帰属する関係のことをいいます。媒介とは違い、契約に対する決定権があります。

媒介は、契約成立のお手伝いをするだけですが、代理は、**契約まで**行います。

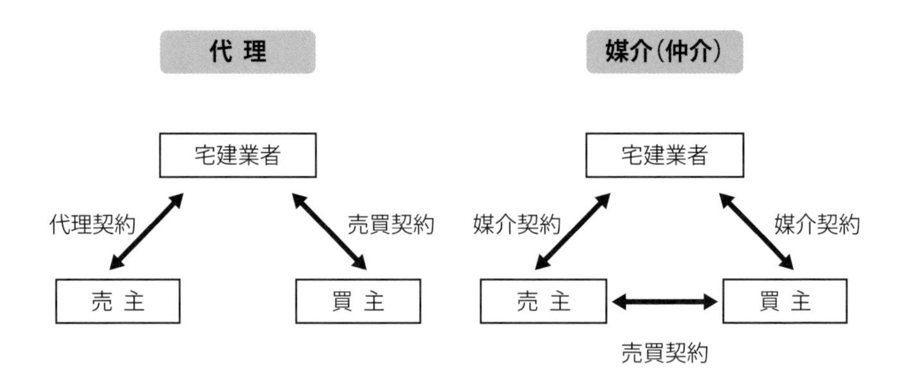

このテーマのまとめ

- 宅地建物取引業とは、自ら行う、宅地または建物を業として売買・交換する行為、宅地または建物の売買・交換・貸借の代理・媒介を業としてする行為である。
- 代理と媒介は、他人が所有する宅地・建物の売買や貸借に協力する行為のことをいう。

話したくなる！ 宅建業に該当する行為であっても、国や地方公共団体（都道府県や市町村）、信託銀行や信託会社が行う場合には、免許は不要とされています。

Theme 2 宅地建物取引業の免許

宅建業の免許には、国土交通大臣免許と都道府県知事免許の2つの区分があります。この免許の区分にかかわらず、宅建業者は日本全国どこでも宅建業の営業を行うことができます。

宅建業法では消費者を保護するために、宅建業者としてふさわしくない者を排除するための基準も定めています。

話したくなる！ 宅建業の免許申請にあたっての審査にかかる期間は、知事免許で1か月程度、大臣免許ではおおむね3か月程度とされています。ただし、書類に不備があると修正や追加の資料が必要となりますので注意が必要です。

1 宅地建物取引業免許

一般消費者にとって、宅地建物取引は一生のうち何度も経験することではないため、その取引について自分の利益を自分自身で守ることは困難です。したがって、他人の利益を犠牲にして自分だけの利益を図ろうとする者や、宅地建物の取引についての十分な知識・経験のない者が宅建業者として取引に携わると、一般消費者は大変な損害をこうむることになりかねません。

そこで宅建業法では、一般消費者が宅建業を行うことを禁止し、特に免許を受けた者だけが行うことができるように定めています。宅建業の免許は、どこに事務所（139ページ参照）を設置するかによって免許の区分が定められ、また、免許を与えるための基準として、免許の基準（**免許の欠格事由**）を定めています。

2 免許の区分

（1）都道府県知事免許

1つの都道府県にだけ宅建業の事務所を設置する場合には、その場所を管轄（かんかつ）する**都道府県知事**の免許を受けなければなりません。

（2）国土交通大臣免許

2つ以上の都道府県に事務所を設置する場合には、**国土交通大臣**の免許を受けなければなりません。

同じ都道府県内に複数の事務所を設置する場合

2以上の事務所を設置する場合であっても、その全部が同じ都道府県内にあるときには、都道府県知事の免許を申請することになります。

話したくなる！ 不動産業者が宅地建物取引業を行う免許を受けたときに割り振られる宅建業免許番号は、「国土交通大臣免許（1）○○号」や「東京都知事免許（2）○○号」と表示され、（ ）内の数字は宅建免許を更新するたびに増えていきます。

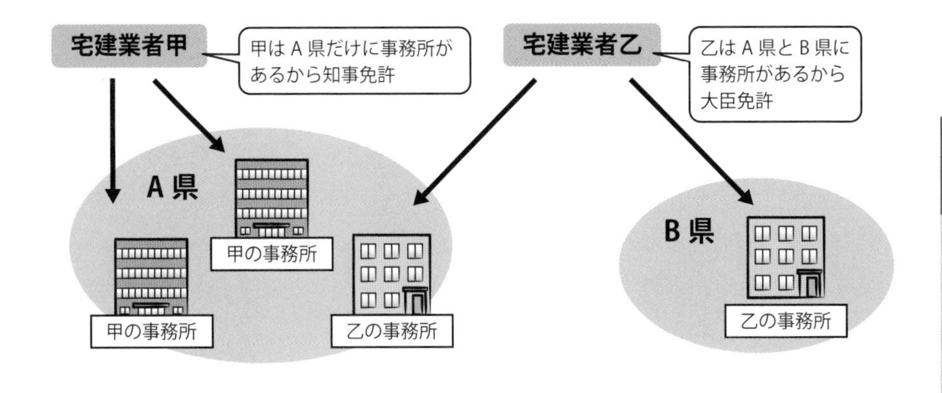

3 免許の基準

宅建業免許の基準には、宅建業者としてふさわしくない者を排除するために、欠格事由として各種のものが掲げられていますが、分類すると、①**免許申請者自身に問題がある場合**、②**特定の関係者に問題がある場合**、③**申請手続上に問題がある場合**に分けられます。主な欠格事由は次のとおりです。

（1）免許申請者自身に問題がある場合

①破産手続開始の決定を受けて復権を得ない者
②心身の故障により宅建業を適正に営むことができない者として国土交通省令で定めるもの
③不正手段によって宅建業の免許を取得したり、情状が特に重い宅建業法違反をしたり、あるいは業務停止処分に違反したりして（以下「不正手段等の事由」）、免許を取り消され、その取消しの日から5年を経過していない者
④不正手段等の事由により、免許を取り消された者が法人の場合には、免許取消処分の聴聞の期日・場所が公示された日の、前60日以内に、その法人の役員をしていた者で、その取消しの日から5年を経過していない者

話したくなる! 免許番号の更新回数が多いほど、信頼度が高いと考える人は多いようです。新規で免許を受けた業者は（1）となりますが、その中には、支店を隣県に出したので国土交通大臣免許（1）になったとか、更新をうっかり忘れていた、という場合もあるそうです。

役員とは肩書きではない

ここでいう役員とは、肩書きだけでなく実質的に法人を支配している者をさしています。

⑤禁錮（きんこ）以上の刑に処せられ、その刑の執行を終わり、または執行を受けることがなくなった日から5年を経過していない者

刑罰の種類と期間

禁錮以上の刑とは、死刑・懲役（ちょうえき）・禁錮をさしています。刑の執行が終わった後の5年間、または刑の執行を免除されてから5年間は免許を受けることができません。「執行猶予」のついている場合には、執行猶予期間中は免許を受けられませんが、その期間が終了すれば直ちに免許を受けることができます。

⑥「宅建業法」「暴力団員による不当な行為の防止等に関する法律」に違反し、または暴行・傷害等の「刑法」上、または「暴力行為等処罰に関する法律」の罪を犯し、罰金刑に処せられ、その刑の執行を終わり、または執行を受けることがなくなった日から5年を経過しない者

⑦暴力団関係者等

禁錮以上の刑と区別する！

⑤の禁錮以上の刑の場合は違反した法律名が限定されていませんが、罰金刑の場合は、法律名が特別に限定されていますから、区別して理解する必要があります。

用語解説 政令で定める使用人…宅建業者の使用人で宅建業に関し事務所の代表者である者のことで、支店長や営業所長等のことをいいます。

（2）特定の関係者に問題がある場合

⑧営業に関し成年者と同一の行為能力を有しない未成年者で、その法定代理人が①～⑦の欠格事由のいずれかに該当するもの

未成年者の場合

未成年者でも法定代理人の営業の許可がある場合には、未成年者自身が欠格事由に該当しなければ免許を受けることができます。

⑨法人で、その役員または政令で定める使用人のうちに、①～⑦に該当する者のあるもの
⑩個人で、その政令で定める使用人のうちに、①～⑦に該当する者のあるもの

（3）申請手続上に問題がある場合

⑪事務所ごとに法定数の専任の宅建士を置いていない場合
⑫免許申請書等の重要な事項について虚偽の記載があり、もしくは重要な事実の記載が欠けている場合

4 免許の効力

免許権者は免許を与えたら、免許証を交付するとともに、宅地建物取引業者名簿に一定事項を登載しなければなりません。また、宅建業者は、登載されている事項につき変更が生じた場合には、30 日以内に免許権者に届け出なければなりません。

話したくなる! 免許換えが行われ、新しい免許権者が宅建業者に免許を与えた場合には、従前の免許権者に対し遅滞なくその旨の通知をするようになっています。

5 免許の更新

免許の有効期間は5年であり、5年ごとに更新しなければなりません。更新の申請は定められた期間内（有効期間満了の日の90日前から30日前まで）に行わなければなりません。

この期間内に免許更新の申請があった場合には、従前の免許は、更新手続中にその有効期間が経過しても更新申請についての処分がなされるまでの間は、引き続き効力を有するものとされています。

6 免許換え

宅建業者は、事務所の廃止や移転により1つの都道府県内にしか事務所を有しなくなる場合や、移転・新設によって複数の都道府県に事務所を有することになる場合で、現在受けている免許が不適当になる場合には、免許換えを申請しなければなりません。免許換えは免許権者が変わるわけですから、新たな免許取得となり、免許の有効期間は、免許換えの日から起算して5年になります。

7 廃業等の届出

宅建業者が、死亡や合併などの事由により、業務を営まなくなった場合には、30日以内に免許権者に対して廃業の届出を行わなければなりません。

30日以内
宅地建物取引業者が死亡した場合の廃業の届出は、相続人が本人の死亡を知った日から30日以内に届け出ます。

宅建業者の免許の効力が失われた場合であっても、その者または宅建業者の一般承継人（相続人などのこと）は、その業者が締結した取引を終了

話したくなる! 廃業等の届出には様々なパターンがありますが、宅建業者について破産手続開始の決定があった場合にはその破産管財人が届出人となります。

する目的の範囲内では宅建業者とみなされます。取引の相手方を無視して廃業するのは宅建業者の責任放棄になるからです。

過去問　令和3年度10月　問27

宅地建物取引業法の免許（以下この問において「免許」という。）に関する次の記述のうち、宅地建物取引業法の規定によれば、正しいものはどれか。

3　免許を受けようとするC社の役員Dが刑法第211条（業務上過失致死傷等）の罪により地方裁判所で懲役1年の判決を言い渡された場合、当該判決に対してDが高等裁判所に控訴し裁判が係属中であっても、C社は免許を受けることができない。

4　免許を受けようとするE社の役員に、宅地建物取引業法の規定に違反したことにより罰金の刑に処せられた者がいる場合、その刑の執行が終わって5年を経過しなければ、E社は免許を受けることができない。

選択肢4は正しく、選択肢3は誤りです。裁判が係属中であるときは、禁錮以上の刑に処せられた場合に該当しないため、C社は免許を受けることができます。

なお、2025年6月1日に改正刑法が施行され、「懲役」及び「禁錮」は廃止されて、「拘禁刑（こうきん）」が新たに創設されます。「拘禁刑」は、作業や指導により、刑に処せられた者の改善更生を図るための刑罰です。

このテーマのまとめ

- 宅建業の免許には都道府県知事免許と国土交通大臣免許があり、免許の基準として欠格事由が定められている。
- 宅建業の免許は5年ごとの更新がある。
- 宅建業者は、事務所の廃止や移転等で免許の区分が不適当になる場合には免許換えを申請しなければならない。

話したくなる!　宅建業者の吸収合併による廃業の届出の場合、たとえばA社が解散してB社に吸収される場合には、解散するA社の代表者が届出を行います。

Theme 3

宅地建物取引士

宅建士になるためには、宅建士試験に合格した後、都道府県知事の登録を受けます。また、宅建士として業務に従事するためには、宅地建物取引士証の交付を受けなければなりません。

- ●相手方への重要事項の説明
- ●重要事項説明書への記名※
- ●契約成立後に交付する書面への記名※

※改正宅建業法の施行により、従来必要とされていた宅建士の押印義務は廃止され、現在は記名のみとなっています。

用語解説　専任…宅建業を営む事務所等で通常の勤務時間働いている（ITの活用等により適切な業務ができる体制を確保したうえで、宅建業者の事務所以外において通常の勤務時間を勤務する場合も含む）状態のことをいいます。

1 宅地建物取引士の定義

宅地建物取引士とは、次の要件を満たした者のことをいいます。

①宅地建物取引士資格試験（宅建士試験）に合格し、
②都道府県知事の登録を受け、
③宅建士証の交付を受けた者

つまり、試験に合格しただけでは宅建士とはなりません。登録を受けるための要件等については次のとおりです。

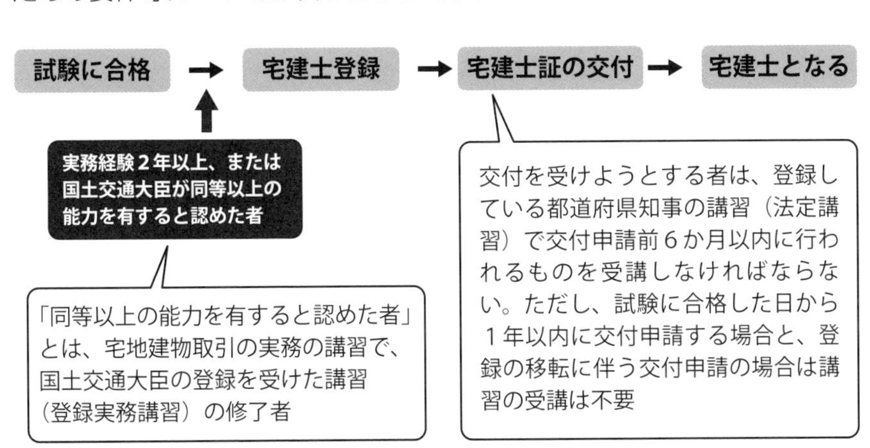

2 事務所等への設置義務

宅建業者は、その**事務所または案内所等ごと**に、一定数の成年者である専任の宅建士を置く必要があります。

一定数とは、事務所においては宅建業の業務に従事する者**５人に１人以上**の割合であり、案内所等においては少なくとも１人以上です。

宅建業者は、専任の宅建士が欠格要件に該当したり欠員になったりして法定の員数を欠くことになったときは、**２週間以内**に新たな専任の宅建士

用語解説 案内所等…住宅の展示会場や建売住宅の現地案内所のことをいいます。

を選任するなど、法に適合させるための必要な措置を講じる必要があります。

3 宅建士の事務

宅建士が行うべき事務は、以下の３つの事項です。

①相手方への重要事項の説明
②重要事項説明書への記名
③契約成立後に交付する書面（37条書面）への記名

宅建士が行うべき事務は３つ

上記の３つ以外の事項は、宅建士でなくても、誰が行ってもかまいません。また、専任の宅建士も専任ではない宅建士も、できる事務に違いはありません。

4 宅建士の業務処理の原則等

宅建士は、業務に従事するときは、宅地建物取引の専門家として、購入者等の利益保護及び円滑な宅地建物の流通に資するよう、公正・誠実に事務を行い、宅建業に関連する業務に従事する者との連携に努めなければなりません。

また、宅建士は、宅建士の信用または品位を害するような行為をしてはならず、必要な知識・能力の維持向上に努めなければなりません。

5 宅地建物取引士の登録

宅地建物取引士試験に合格した者で、宅地・建物の取引に関し**2**年以上の**実務経験**を有する者、または国土交通大臣がその実務経験を有する者

話したくなる! 実務経験として算入できる業務とは、顧客への説明や物件の調査等、具体的な取引に関するものなどをいいます。このため、不動産会社に就職して、人事や財務等に携わっているという場合は、実務経験とみなされません。

と同等以上の**能力を有する**と認めた者（登録実務講習の修了者等）は、次に説明する欠格事由に該当しない限り、その試験を行った都道府県知事の登録を受けることができます。

（１）登録の基準

登録の基準とは、いわゆる欠格要件のことです。注意しておきたい欠格事由は次のものです。

①宅建業にかかる営業に関し成年者と同一の行為能力を有しない未成年者

このような未成年者も、法定代理人に欠格事由がなければ宅建業の免許を受けられますが、宅建士の登録の場合には欠格事由となります。

②宅建士としてすべき事務の禁止処分を受け、その禁止期間中に本人からの申請によりその登録が消除され、まだその期間が満了しない者

この場合には事務禁止処分の期間が満了すれば、５年を待たずに登録を受けることができます。

登録は任意

宅建士の登録は義務ではなく、宅建士試験合格者の任意です。また、登録の有効期間に期限はなく、一度登録すれば、消除されない限り一生有効となります。

（２）登録簿への登載

宅建士の登録は、都道府県知事が、宅地建物取引士資格登録簿に氏名、生年月日、住所その他国土交通省令で定める事項並びに登録番号及び登録

話したくなる！　宅建士証には自分の顔写真のほか、氏名、住所、登録番号、登録年月日等が記載されます。このため、たとえば郵便局で本人限定郵便を受け取る際の本人確認書類として使用することができます。

年月日を登載してするものとされています。

（3）変更の登録（登録事項の変更）

登録を受けた者は、登録事項に変更が生じたときには、遅滞なく、その記載の変更を届け出なければなりません。この手続を「変更の登録」といいます。

6 宅地建物取引士証

試験に合格して登録を受けている者が宅建士として業務に従事するためには、登録をしている都道府県知事の発行する宅地建物取引士証（宅建士証）の交付を受けなければなりません。宅建士証は身分を証明するものですから、**有効期限**（5年）や、**宅建士証の提示義務、法定講習の受講、宅建士証の返納・提出**など、交付・活用・管理の面で細かい規制を受けることになります。

（1）宅建士証の交付申請

宅建士証の交付を申請しようとする者は、登録している都道府県知事が国土交通省令で定めるところにより指定する講習（法定講習）で、交付の申請前**6**か月以内に行われるものを受講しなければなりません。

ただし、試験に合格した日から**1年以内**に宅建士証の交付を受けようとする者は、この講習を受ける必要はありません。

（2）宅建士証の有効期間

宅建士証の有効期間は**5**年であり、申請により更新することができます。

（3）宅建士証の提示義務

宅建士は、取引関係者の請求があったときや重要事項を説明するときには、宅建士証を提示しなければなりません。

話したくなる! 宅建士が重要事項説明時に宅建士証を提示しなかった場合、10万円以下の過料を払うこととなります。なお、宅建士に対する罰則は10万円以下の過料だけとなっており、試験でこれより大きい数値が出てきた場合には誤りとなります。

重説では提示必須！
重要事項説明を行う際には、取引の相手方から請求がない場合でも、自ら宅建士証を提示しなくてはなりません。

過去問　令和2年度12月　問38

宅地建物取引士に関する次の記述のうち、宅地建物取引業法及び民法の規定によれば、正しいものはいくつあるか。

ウ　宅地建物取引士は、重要事項説明書を交付するに当たり、相手方が宅地建物取引業者である場合、相手方から宅地建物取引士証の提示を求められない限り、宅地建物取引士証を提示する必要はない。
エ　成年被後見人又は被保佐人は、宅地建物取引士として都道府県知事の登録を受けることができない。

ウは正しい記述です。エについては、成年被後見人または被保佐人であっても、精神の機能の障害により宅建士の事務を適正に行うにあたって必要な認知、判断及び意思疎通を適切に行うことができない場合等を除いて、都道府県知事の登録を受けることができます。

このテーマのまとめ

- 宅建士とは、宅建士試験に合格し、都道府県知事の登録を受け、宅建士証の交付を受けた者のことをいう。
- 宅建業者は、事務所においては宅建業の業務に従事する者5人に1人以上の割合で宅建士を置かなければならない。
- 宅建士は、重要事項を説明する場合等、宅建士証を提示しなければならない。

話したくなる！ 宅建士は、登録が消除されたときなどには、宅建士証の交付を受けた都道府県知事に速やかに宅建士証を返納しなければなりません。また、事務禁止処分を受けたときは、交付を受けた都道府県知事に提出しなければなりません。

Theme 4 営業保証金と保証協会

営業保証金とは、宅建業者が宅建業の業務によって取引した相手方に損害を与えた場合の担保としてあらかじめ供託しておく金銭等をいいます。

家を建てたり、マンションを購入したあとで、契約をした不動産会社が倒産していたという場合にはどうなるのでしょうか。

用語解説　供託…金銭を支払う等の義務のある者などが、国の機関である「供託所」に金銭等を預けることで、その“債務を履行した”ことと同じ効果を与えようとする制度です。

1 営業保証金の意義

宅地建物の取引は取引額が大きいため、一度でも債務の弁済ができないと宅建業者の存続が危なくなる場合も考えられます。そうなると、取引の相手方や一般消費者が不測の損害をこうむる危険が生じます。

このような危険を回避するために、あらかじめ、宅建業者が供託所に供託金をプールして、万一の場合に供託所が宅建業者の債権者に支払うことで、安心して取引を行うことができ、業界の信用も確立することができるのです。そのための制度が営業保証金です。

2 営業保証金の供託（きょうたく）と営業の開始

宅建業の免許を受けた者は、営業保証金を主たる事務所の最寄りの**供託所**に**供託**しなければなりません。

そして、営業保証金を供託した宅建業者は、その旨を免許権者（国土交通大臣か都道府県知事）に届け出なければなりません。

宅建業者は、この免許権者への届出をした後でなければ、その事業を開始することができないのです。

もし、免許を受けた日から**3か月以内**に届出をしないときは、免許権者は届出をすべき旨の催告をしなければなりません。さらに、催告が到達した日から1か月以内に宅建業者が届出をしないときは、免許権者は免許を取り消すことができます。

3 営業保証金の額

営業保証金の供託金額は、**主たる事務所**については **1,000** 万円、**その他の事務所**については、**事務所ごとに 500** 万円の合計額になります。

営業保証金は、現金だけでなく有価証券でも供託することができます。

なお、有価証券による供託の場合には、種類により、その評価額が異なります。

用語解説 供託所…法令によって供託事務を取り扱う場所のことで、法務局や、地方法務局とその支局があります。

4 宅地建物取引業保証協会制度の趣旨

営業保証金制度は個々の**宅建業者自身が供託した財産**によって取引の相手方を保護する制度であるのに対して、**宅地建物取引業保証協会**（以下「保証協会」）は、零細事業者が多い不動産業界において、**集団保証**により個々の宅建業者の負担を軽くしながら顧客の保護を図ろうとするものです。

保証協会の社員になろうとする宅建業者は、加入しようとする日までに一定額の**弁済業務保証金分担金**を保証協会に納付しなければなりません。

弁済業務保証金分担金とは、社員である個々の宅建業者との取引で損害をこうむった相手方に対する損害賠償に充てるために、社員が保証協会に納付する金銭のことで、①**主たる事務所**につき 60 万円、②**その他の事務所**については**事務所ごとに 30** 万円の合計額となります。

そして、社員との取引で損害をこうむった相手方が、その取引によって生じた債権について、保証協会が供託所に預けた弁済業務保証金から弁済を受けることを**還付**といいます。

弁済業務保証金が還付によって減少した場合、保証協会は還付された弁済業務保証金の額に相当する額の弁済業務保証金を供託する一方で、還付の原因となった社員に対して、還付充当金を保証協会に納付すべき旨を通知します。

これを受けて、通知を受けた社員は、通知を受けた日から**２週間以内**に還付充当金を保証協会に納付します。

このテーマのまとめ

・取引の相手方や一般消費者が不測の損害をこうむらないための制度として営業保証金や、保証協会の制度がある。

話したくなる! 保証協会には、全国宅地建物取引業保証協会と、不動産保証協会の２つの公益社団法人があり、それぞれのマスコットはハトとウサギで知られています。

Theme 5 広告に関する制限

広告は営業活動の始まりとして、顧客を誘引する重要な役割をもっています。しかし、その広告が虚偽や誇大な広告であるときは、取引の相手方は思わぬ損害をこうむることになります。

相手方が思わぬ損害をこうむることを予防するために、誇大広告等が禁止されているのです。

話したくなる! お客さんが不動産のインターネット広告から、物件についての問い合わせをしてくることを反響やコンバージョンといいます。100件くらい広告にアクセスがあったら、そのうち実際に問い合わせが来るのは1件くらいが目安といわれています。

1 誇大広告等の禁止

（1）規制対象となる事項

宅建業者は、その業務に関して広告をするときは、その広告にかかる宅地または建物の所在、規模、形質等について、**著しく**事実に**相違**する表示をし、または実際のものより**著しく優良**あるいは**有利**であると、人を誤認させるような表示をすることが禁止されています。誇大広告等の禁止の規制対象となる事項には次のものがあります。

誇大広告等禁止の規制対象となる広告内容

現状	所在、規模、形質
立地条件	現在または将来の利用制限
	現在または将来の環境
	現在または将来の交通その他の利便
取引条件	代金、借賃等の対価の額、その支払方法
	代金等に関する金銭の貸借のあっせん

常識的な判断で

「著しく」の解釈については、一般の社会通念によって判断されることになります。積極的に表現する場合だけでなく、消極的に表現しないことによって誤認させる場合も含まれます。つまり、常識的に判断して「おかしいな」と思えるような広告は誇大広告等にあたると考えていいでしょう。

（2）規制の対象となる広告媒体

広告の方法としては、新聞、雑誌、放送、チラシ、ダイレクトメール、インターネットなど、手段を問わずどのようなものでも、それが宅建業に関する広告であればすべて規制の対象となります。

話したくなる! いわゆるおとり広告は、広告した物件と、実際に紹介する物件とがまったく別物ですから、「著しく事実に相違する表示」として、宅建業法違反となります。

(3) 広告行為自体の禁止

誇大広告の有無については、現実に人を誤認させるような広告をすれば、契約の成立があったか否か、あるいは実際に誤認した人がいるかどうかを問わず、誇大広告等の禁止違反になります。

(4) 違反者に対する措置

誇大広告等の禁止規定に違反した宅建業者に対しては、監督処分として指示処分や業務停止処分が行われ、特に情状が重い場合には、免許取消処分となります。また、罰則規定も適用されます。

2 広告開始時期の制限

(1) 広告開始時期の制限の趣旨

従来、宅建業者が、物件が完成しないうちにマンションの分譲や造成宅地を販売するということがありました。その場合、物件が未完成なので、買主には図面や模型などで完成時の状態が示されます。しかし、途中で設計が変わって買主の当初のイメージと違った物件が完成し、当事者間で紛争が生じることがありました。このような紛争を未然に防止するため、広告を開始できる時期が規制されています。

宅建業者は、宅地の造成または建物の建築に関する工事の完了前においては、次のような、その工事に関し必要とされる許可等の処分があった後でなければ、その工事にかかる宅地または建物の売買、その他の業務に関する広告をすることができません。

①都市計画法 29 条の開発許可
②建築基準法 6 条 1 項の建築確認
③その他法令に基づく許可等の処分で政令で定めるもの

話したくなる! 近年、不動産のインターネット広告において、契約済みであるにもかかわらず削除されず、掲載されたままになっているものが問題視されています。更新を怠らないよう、掲載する側も注意が必要です。

広告が可能になる時期

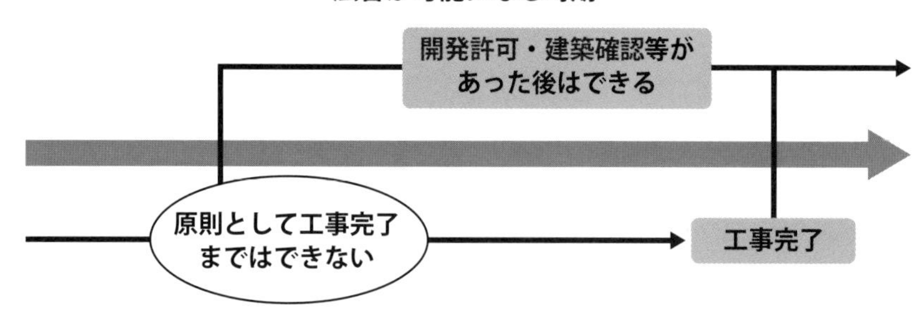

許可は現実に受けなければダメ！

完成前の物件について広告するためには、現実に許可等の処分を受けていなければなりません。開発許可申請中や建築確認申請中の場合はその旨を表示したとしても広告することはできません。

（2）広告開始時期の制限の対象

制限の対象となるのは、宅建業の「業務」に関する広告です。したがって、次のものに限られます。

①宅建業者が自ら当事者となって、売買または交換する旨の広告
②宅建業者が代理により、売買、交換、貸借を行う旨の広告
③宅建業者が媒介により、売買、交換、貸借を行う旨の広告

このテーマのまとめ

・著しく事実に相違する表示や、実際のものより著しく優良あるいは有利であると誤認させるような広告は禁止されている。
・手段を問わず、どのようなものでもそれが宅建業の業務に関する広告であればすべて規制の対象となる。

話したくなる! 広告の開始時期の制限は、物件が広告の時点で未完成の状態にあるときに適用されます。すでに物件が完成していれば、たとえそれが建築確認などを受けていない違法なものであったとしても、適用されません。

Theme 6 契約の締結に際しての規制

宅建業者には工事の完了前の宅地建物について、許可等を受けなければ売買や交換の契約を締結してはいけないとするなど、契約の締結に関する各種の規制があります。

- 都市計画法 29 条の開発許可
- 建築基準法 6 条 1 項の建築確認
- その他法令に基づく許可等の処分で政令で定めるもの

契約の締結に際しての制限は、広告の開始時期の制限と関連させながら覚えていくようにしましょう。

話したくなる! 一般的に不動産の売買契約では、物件が決まったら書類などで購入申込みを行い、必要によっては住宅ローンの事前確認をしたうえで、重要事項説明を経て売買契約を締結するという流れとなっています。

1 契約締結時期の制限

宅建業者は、宅地の造成または建物の建築に関する工事の完了前において、その工事に関し必要とされる次の許可などの処分があった後でなければ、その工事にかかる宅地または建物について、自ら当事者として、もしくは当事者を代理して、その売買もしくは交換の契約を締結し、またはその売買もしくは交換の媒介をしてはいけません。

①都市計画法 29 条の開発許可
②建築基準法 6 条 1 項の建築確認
③その他法令に基づく許可等の処分で政令で定めるもの

契約締結のできる時期

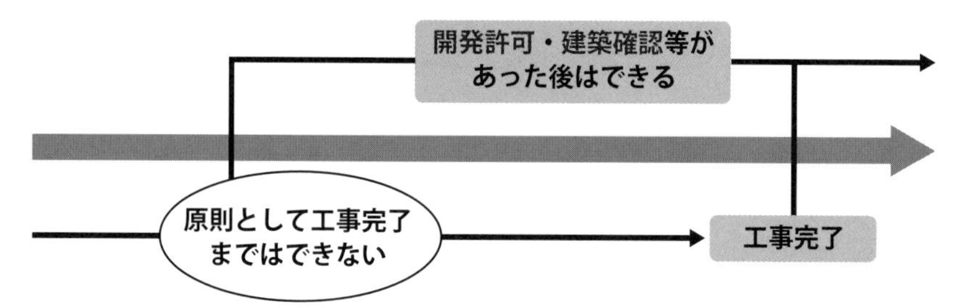

宅地の造成または建物の建築に関する工事の完了前になされる売買契約の段階で示された状態と、実際の完成後の状態とが大きく食い違うことから生じる当事者間の紛争を防止するための制限で、**広告の開始時期の制限**とその趣旨は同じとなっています。

制限の対象に注意

宅地・建物の貸借については、宅建業者が当事者となる場合でも、他人の代理や媒介をする場合でも、この制限の適用はありません。広告の開始時期の制限とは異なります。

用語解説 手付…契約の際、買主から売主へ交付される金銭その他の有価物のことです。

2 重要な事実の告知義務

宅建業者は、相手方等に対して、宅地建物の売買、交換もしくは貸借の契約の締結について勧誘するなどの場合に、重要な事項についてわざと（故意に）事実を告げなかったり、ウソ（不実（ふじつ））を告げる行為をしてはいけません。重要な事項として代表的なものは次のとおりです。

①宅建業法 35 条に定める重要事項説明書の記載事項
②保証協会の社員でない場合には、営業保証金を供託した供託所等について
③保証協会の社員の場合には、協会の名称や弁済業務保証金が供託されている供託所等について
④宅建業法 37 条に定める契約書面の記載事項
⑤宅地・建物の所在や規模など相手方等の判断に重要な影響を及ぼすこととなる事項

過失は対象外
「故意」の場合が規制の対象とされているので、過失（不注意）で重要な事実を告げなかった場合は、規制の対象となりません。

3 手付貸与等（てつけたいよとう）による契約締結誘引（ゆういん）の禁止

宅建業者は、**手付**について、貸付けやその他の**信用の供与**をすることにより、契約の締結を誘引してはいけません。

手付金を貸してもらえれば現実に手付金を支払う必要がないため、顧客も安易に契約締結に応じると考えられるためで、相手方を保護するためにこのような行為は規制されています。

話したくなる! 信用の供与は手付を分割払いや後払いにすることです。たとえ善意でも、「人気のある物件だからすぐ契約しましょう。手付金は後日でいいです」とすることは信用の供与にあたります。

代金の分割払いは対象外

代金を分割払いにすることは、いわゆる割賦（かっぷ）販売であることから、この規制の対象にはなりません。なお、規制の対象となる手付の貸与等により契約を誘引する行為をすれば、契約締結に至らなくてもそれだけで違反となる点に注意しましょう。

4 契約締結に関する不当な勧誘等の禁止

宅建業法は、宅建業者等（従業員も含みます）が宅建業にかかる契約の締結の勧誘をするに際し、宅建業者の相手方等に対し、行ってはならない一定の事項を定めています。主な事項は次のとおりです。

断定的判断の提供	**利益**を生じることが確実であると誤解を生じさせる断定的判断を提供すること
	将来の環境・交通その他の利便について誤解を生じさせる断定的判断を提供すること
告知しない勧誘	勧誘に先立って宅建業者の商号または名称及び勧誘を行う者の氏名並びに契約の締結について**勧誘をする目的である旨を告げずに**、勧誘を行うこと
継続的な勧誘	宅建業者の相手方等がその**契約を締結しない**旨の意思表示（当該勧誘を引き続き受けることを希望しない意思も含む）をしたにもかかわらず、勧誘を**継続**すること
迷惑な勧誘	**迷惑を覚えさせるような時間**に電話し、または訪問すること
	深夜または**長時間の勧誘**その他私生活または業務の平穏を害するような方法により相手方を困惑させること

話したくなる! 国民生活センターが2010年に発表した「ますますエスカレートするマンションの悪質な勧誘」によると、朝10時から15時間に及ぶ勧誘で無理やり契約させられた、といった事例が報告されており、宅建業法ではこれらの行為を明確に禁止しています。

平成 30 年度　問 40

宅地建物取引業者Ａが行う業務に関する次の記述のうち、宅地建物取引業法の規定に違反するものはいくつあるか。

ア　Ａは、自ら売主として、建物の売買契約を締結するに際し、買主が手付金を持ち合わせていなかったため手付金の分割払いを提案し、買主はこれに応じた。

エ　Ａは、投資用マンションの販売に際し、電話で勧誘を行ったところ、勧誘の相手方から「購入の意思がないので二度と電話をかけないように」と言われたことから、電話での勧誘を諦め、当該相手方の自宅を訪問して勧誘した。

選択肢アとエはいずれも違反です。選択肢アにおいて、Ａが建物の売買契約を締結するに際し、買主に手付金の分割払いを提案したことは、宅建業法の規定に違反します。

選択肢エにおいて、宅建業者は、相手方等が契約を締結しない旨の意思を表示した場合には、当該勧誘を継続してはいけません。

このテーマのまとめ

- 宅建業者は、工事の完了前の宅地・建物について開発許可、建築確認、その他法令に基づく許可等の処分で政令で定めるものがあった後でなければ、その宅地建物について売買もしくは交換の契約を締結してはならない。
- 宅建業者は、その業務に関して、相手方等に対して、重要な事項について故意に事実を告げず、または不実のことを告げる行為をしてはならない。
- 宅建業者は、手付について貸付けその他信用の供与をすることにより契約の締結を誘引する行為をしてはならない。

話したくなる！　判例では、新築マンションを竣工前に販売した際に、眺望をセールスポイントとしていたものの、工事用の覆いを取ってみたら電柱や送電線によって眺望が阻害されていたことが、宅建業者の説明義務違反となった事例があります。

Theme 7 宅建業の事務所

ある施設が「事務所」であるとされると、その場所には専任の宅建士を設置する義務が生じるなど、多くの宅建業法上の規制を受けることになります。

事務所は宅建業法における規制を行う際の基準となっています。事務所を基準とする規制を確認しておきましょう。

話したくなる! 独立して自宅住居を事務所にして宅建業を始めるという場合、いくつかの条件があります。たとえば事務所には専用の出入口を設けなければならず、住宅の出入口とは別にしなくてはいけません。

1 宅建業の事務所

宅建業法では、**事務所**の内容を次のように規定しています。

①本店（主たる事務所）または宅建業を行う支店（従たる事務所）
②本店と支店以外の、継続的に業務を行うことができる施設を有する場所で、宅建業にかかる契約を締結する権限を有する使用人を置くところ

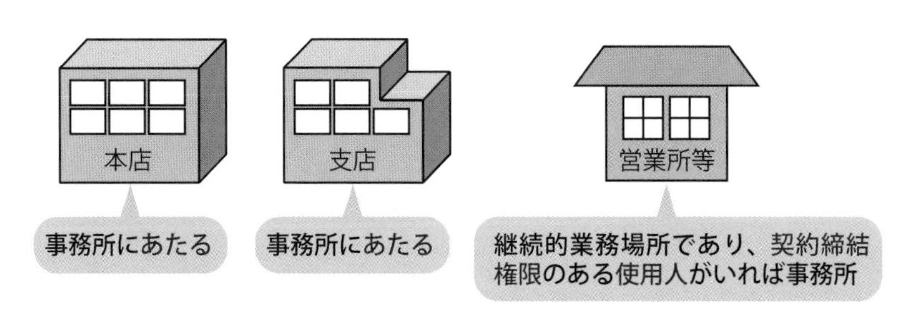

事務所は、宅建業法が色々な規制を行う際の基準となっています。主なものは次のとおりです。

①免許の区分を決定するための基準
②宅建士を設置すべき場所としての基準
③営業保証金の供託に関する基準
④クーリング・オフ制度に関する基準
⑤報酬額の掲示場所に関する基準
⑥従業者名簿の備付けに関する基準
⑦帳簿の備付けに関する基準
⑧標識の掲示場所としての基準
⑨弁済業務保証金分担金に関する基準

話したくなる！ 不動産業界ではやり取りにFAXを使用する場面が多く見られ、業務上で欠かせない通信手段となっています。自分で事務所を持って独立開業をする場合には、FAXを置くことも忘れないようにしましょう。

2 従業者名簿の備付け(そなえつ)に関する規制

宅建業者は、その事務所ごとに、**従業者名簿**を備え、従業者の氏名等一定の事項を記載し、10年間保存しなければなりません。これは、電子ファイルでもよいとされています。

(1) 従業者名簿の記載事項

①氏名
②従業者証明書番号
③生年月日
④宅地建物取引士であるか否かの別
⑤主たる職務内容
⑥従業者となった年月日
⑦従業者でなくなったときは、その年月日

(2) 違反者に対する措置

業務停止処分の対象となるほか、50万円以下の罰金に処されます。

(3) 従業者名簿の閲覧

宅建業者は、取引の関係者から**請求があったとき**は、従業者名簿をその者の閲覧に供しなければなりません。

3 帳簿(ちょうぼ)の備付けに関する規制

宅建業者は、国土交通省令の定めるところにより、その事務所ごとに、その業務に関する帳簿を備え、宅建業に関し取引のあったつど、その年月日、その取引にかかる宅地または建物の所在及び面積その他の事項を記載し、その帳簿を5年間（当該宅建業者が自ら売主となる新築住宅にかかるものにあっては10年間）保存しなければなりません。この帳簿は電子

話したくなる! 従業者名簿には、一時的に事務の補助をする者も記載する必要があります。

ファイルでもかまいません。

帳簿は閲覧させる必要はない！
帳簿の備付けは試験で頻出の項目なので注意しておきましょう。なお、帳簿を閲覧に供するという規定はありません。

（1）記載事項

記載事項の主なものは次のとおりです。

①取引の年月日
②宅地建物の所在及び面積
③取引態様の別
④取引相手の氏名及び住所
⑤取引に関与した他の宅建業者の商号または名称
⑥宅地の場合は、現況地目、位置、形状その他その宅地の概況
⑦建物の場合は、構造上の種別、用途その他その建物の概況
⑧売買金額、賃料の額、交換の場合は交換物件の品目及び交換差金

（2）違反者に対する措置

指示処分の対象となるほか、50万円以下の罰金に処されます。

4 標識(ひょうしき)の掲示(けいじ)に関する規制

宅建業者は、事務所等及び事務所等以外の場所で、国土交通省令で定める業務を行う場所ごとに、公衆の見やすい場所に標識を掲示しなければなりません。

話したくなる! 国土交通大臣や都道府県知事は、必要があると認めるときは、宅建業者にその業務について必要な報告を求め、またはその職員に事務所や業務を行う場所に立ち入らせ、帳簿、書類その他業務に関係のある物件を検査させることができます。

（1）掲示場所

①事務所
②継続的に業務を行うことができる施設を有する場所で事務所以外のもの
③宅建業者が一団の宅地建物の分譲を案内所を設置して行う場合の案内所
④他の宅建業者が行う一団の宅地建物の分譲の代理または媒介を案内所を設置して行う場合における、その案内所
⑤宅建業者が業務に関し展示会その他これに類する催しを実施する場合の、その実施場所
⑥宅建業者が一団の宅地建物の分譲をする場合の当該宅地建物の所在場所

（2）違反者に対する措置

指示処分の対象となるほか、50万円以下の罰金に処せられます。

5 案内所等の届出に関する規制

（1）案内所等の届出義務

宅建業者は、事務所以外の場所で宅建業に関する契約の締結または契約の申込みを受ける場所については、その所在地、業務内容、業務を行う期間及び専任の宅建士の氏名を、その場所で業務を開始しようとする10日前までに、免許権者である国土交通大臣または都道府県知事及びその所在地を管轄する都道府県知事に届け出なければなりません。

（2）違反者に対する措置

指示処分の対象となるほか、50万円以下の罰金に処せられます。

話したくなる! 「事務所以外の場所で宅建業に関する契約の締結または契約の申込みを受ける場所」とは、1人以上の専任の宅建士を置くべき場所にあたります。

業務上の規制の一覧

	事務所	事務所以外で専任の宅建士を置くところ	事務所以外で専任の宅建士を置かないところ
従業者名簿の備付け	必要	不要	不要
帳簿の備付け	必要	不要	不要
標識の掲示	必要	必要	必要
案内所等の届出	不要	必要	不要

過去問 **令和4年度　問26**

宅地建物取引業法第3条第1項に規定する事務所（以下この問において「事務所」という。）に関する次の記述のうち、正しいものはどれか。

2　宅地建物取引業法を営まず他の兼業業務のみを営んでいる支店は、事務所には該当しない。

3　宅地建物取引業者は、主たる事務所については、免許証、標識及び国土交通大臣が定めた報酬の額を掲げ、従業者名簿及び帳簿を備え付ける義務を負う。

選択肢2は正しく、選択肢3については、免許証を掲げる義務はありません。

このテーマのまとめ

・宅建業者は、その事務所ごとに、従業者名簿を備え、従業者の氏名等一定の事項を記載し、10年間保存しなければならない。

・宅建業者は、その事務所ごとに、その業務に関する帳簿を備え、一定期間保存しなければならない。

・宅建業者は、公衆の見やすい場所に標識を掲示しなければならない。

話したくなる！ 宅建業の従業者名簿については、国土交通省のウェブサイトで様式が公開されています。なお、従業者の住所については記載する必要はありません。

Theme 8 報酬（ほうしゅう）に関する規制

適正な費用で媒介・代理が行われるために、宅建業者が受領する報酬の最高限度額や、報酬額の掲示義務、不当に高額な報酬を要求する行為の禁止などが定められています。

報酬額の求め方については試験で頻出なので、計算方法をマスターしておきましょう。

話したくなる!　通常の仲介業務において発生する広告費用や、購入希望者を現地案内する際にかかる費用は売買契約時に発生する仲介手数料に含まれます。一方で、依頼者の特別な依頼に基づいて発生した費用（特別な広告など）は請求することが認められています。

1 報酬額の求め方

(1) 売買・交換の媒介の場合の報酬基準

依頼者の一方から受領できる報酬の限度額は、物件価格を以下のように区分して一定率を乗じたものの合計額となります。

売買・交換の媒介に関する報酬額

物件価格	率（消費税抜き）
イ　200 万円以下の部分	5%
ロ　200 万円超～ 400 万円以下の部分	4%
ハ　400 万円超の部分	3%

?考えよう!

1,000 万円の物件で実際に計算してみましょう。
イ　200 万円× 5% ＝ 10 万円
ロ　200 万円× 4% ＝ 8 万円
ハ　600 万円× 3% ＝ 18 万円
つまり、10 万円＋ 8 万円＋ 18 万円＝ 36 万円
36 万円（税抜き）が媒介の一方の依頼者から受領できる上限額となります。

速算式を使おう！

物件価額が 400 万円超のときには、速算式を使うほうが便利です。
（速算式）　物件価額× 3%＋ 6 万円
上の例だと、1,000 万円× 3%+6 万円
＝ 30 万円 +6 万円 =36 万円（税抜き）となります。

話したくなる!　宅建業者は、その業務に関して、宅建業者の相手方等に対し、不当に高額な報酬を要求する行為をしてはいけません。要求する行為があれば、実際には報酬額制限以内の報酬の支払いしか受けなかったとしても違反となります。

なお、通常は依頼者の双方（売主・買主）から依頼を受けるので、実際には上記の２倍となる、36万円×２＝72万円（税抜き）まで受領できることになります。

（２）売買・交換の代理の場合

代理をした宅建業者の受領できる報酬額の上限額は、**媒介の２倍**とされています。

（３）貸借の媒介

依頼者双方から受領できる報酬限度額は、借賃の**１**か月分（税抜き）が原則となります。

しかし、居住用建物の場合は、例外的に、一方から受領できるのは借賃の**２分の１**か月分（税抜き）以内とされています。

もっとも、依頼者の承諾がある場合は原則どおり１か月分以内とすることができます。

（４）貸借の代理

代理の依頼者から受領できる報酬限度額は、借賃の１か月分（税抜き）以内とされています。

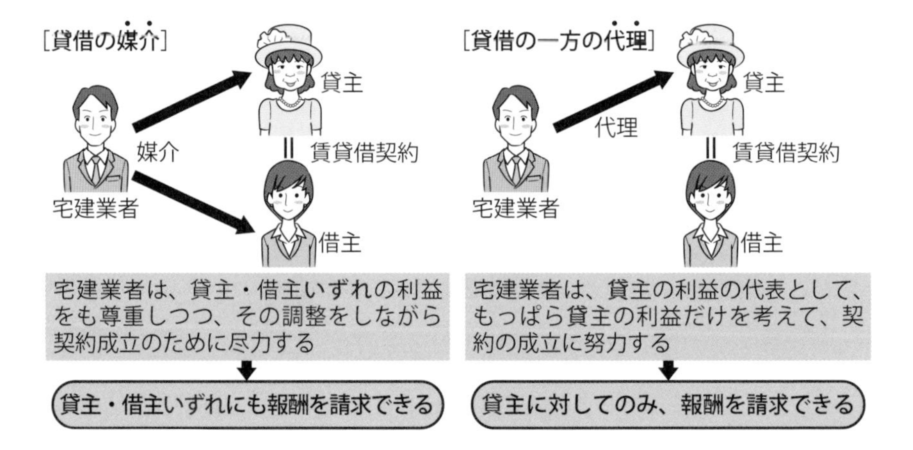

話したくなる！ 売買・交換の代理の際の報酬額の上限が媒介の２倍なのは、代理が媒介と同様に時間と労力を費やすにもかかわらず、双方から受領することができないためです。そこで一方の依頼者からの報酬の２倍とすることで、媒介と同額の報酬を保証しているのです。

過去問　平成30年度　問30　改題

宅地建物取引業者A（消費税課税事業者）は、Bが所有する建物について、B及びCから媒介の依頼を受け、Bを貸主、Cを借主とし、1か月分の借賃を10万円（消費税等相当額を含まない。）、CからBに支払われる権利金（権利設定の対価として支払われる金銭であって返還されないものであり、消費税等相当額を含まない。）を150万円とする定期建物賃貸借契約を成立させた。この場合における次の記述のうち、宅地建物取引業法の規定によれば、正しいものはどれか。

1　建物が店舗用である場合、Aは、B及びCの承諾を得たときは、B及びCの双方からそれぞれ11万円の報酬を受けることができる。

4　定期建物賃貸借契約の契約期間が終了した直後にAが依頼を受けてBC間の定期建物賃貸借契約の再契約を成立させた場合、Aが受け取る報酬については、宅地建物取引業法の規定が適用される。

正解は４です。選択肢４について、定期建物賃貸借契約は、契約が更新されない賃貸借契約であるため、定期建物賃貸借契約の再契約とは、実際には新たな定期建物賃貸借契約を締結することとなります。よって、新たに賃貸借契約が成立する以上、定期建物賃貸借契約の再契約の場合に宅建業者が受け取る報酬についても、宅建業法の規定が適用されます。

選択肢１について、居住用建物以外の建物の賃貸借において、権利金の授受があるときの媒介に関して宅建業者が依頼者から受ける報酬の額については、次のように求めます。

①権利金の額を売買にかかる代金の額とみなして、以下のとおり、売買または交換の場合の代理または媒介の方法で計算した金額

・物件価格200万円以下→物件価格×5%（消費税課税事業者の場合はこれに×1.1）

用語解説　権利金…名義を問わず、権利設定の対価として支払われる金銭で返還されないものをいいます。

これによると150万円×0.05×1.1＝8万2,500円となりますが、これは依頼者の一方から受領することができる金額の限度額となります。したがって、①によると、Aが、B及びCから受領できる限度額の合計は、8万2,500円×2＝16万5,000円となります。

②当該建物の借賃の1か月分（税抜き）

これによると、本問のAは消費税課税事業者なので、消費税を加えると10万円×1.1＝11万円となりますが、これは依頼者の双方から受領することができる金額の合計です。

そして、上記①と②のいずれか高いほうが上限となるため、Aが、B及びCから受領できる限度額の合計は、16万5,000円となります。本肢は、B及びCの「双方からそれぞれ11万円」（合計22万円）の報酬を受けることができるとする点で、誤っています。

2 報酬額の掲示義務

宅建業者は、その事務所ごとに、公衆の見やすい場所に、国土交通大臣が定めた報酬の額を掲示しなければなりません。

このテーマのまとめ

- 売買・交換の代理の場合、代理をした宅建業者の受領できる報酬額の上限額は、媒介の2倍となる。
- 貸借の媒介の場合、依頼者双方から受領できる報酬限度額は、借賃の1か月分が原則だが、居住用建物の場合は、例外的に、一方から受領できるのは借賃の2分の1か月分以内とされている。

話したくなる！ 土地の売買・交換、貸借の取引は消費税の非課税取引です。売買代金や賃料には消費税はかかりません。また、居住用建物の貸借の取引も消費税の非課税取引となります。

Theme 9

媒介契約

不動産を適正に流通させるためには、媒介契約が重要です。いわゆる仲介やあっせんといわれるものです。民法には、媒介契約に関する規定が置かれていないため、法律で規制する必要があります。

それでね、条件なんだけどね、私が他に良い業者を見つけたらそこにもお願いできる形にしてね。そんでね、私への報告は毎日一回、お昼の時間。あとレインズってやつ？　あれ登録しなくていいから。いいのいいの、あきらさんの手間になるでしょ。それからそれから…

うわ…

媒介契約では、主に指定流通機構への登録が問われます。どのような媒介契約があるかと、それぞれの違いを押さえることがポイントです。

用語解説　指定流通機構…レインズと呼ばれるネットワークシステムを有する不動産流通機構のことで、このネットワークによって宅建業者間で不動産情報を交換することができます。全国では地域ごとに4法人が指定されています。

1 媒介の種類

媒介契約には、**一般媒介契約**と**専任媒介契約**、**専属専任媒介契約**があります。

(1) 一般媒介契約

一般媒介契約は、**他の宅建業者にも重ねて依頼することができます**。そのため、有効期限など契約の内容については**制限がありません**。一般媒介契約には、依頼者が他の宅建業者に重ねて依頼した場合にその旨を明示しなければならない**明示型**とその旨を明示しなくてもよい**非明示型**があります。

(2) 専任媒介契約・専属専任媒介契約

専任媒介契約や専属専任媒介契約は、他の宅建業者に**重ねて依頼することができません**。そのため、有効期限など契約の内容について制限があります。専任媒介契約では、依頼者が自分で取引相手方を見つけること（**自己発見**）が許されますが、専属専任媒介契約では、依頼者が自分で取引相手方を見つけることは許されません。

	一般媒介	専任媒介	専属専任媒介
他の業者への依頼	**できる**	**できない**	**できない**
自己発見	できる	できる	できない
有効期間	**なし**	**3か月**	**3か月**
業務処理状況の依頼者への報告義務	なし	**2週間に1回以上**	**1週間に1回以上**
指定流通機構への登録義務	なし	**7日以内**に登録（休業日は含めない）	**5日以内**に登録（休業日は含めない）

話したくなる! 試験では、上の表の内容を中心に問われます。とりわけ、それぞれの契約形態において、有効期間・報告の頻度・指定流通機構への登録が何日かについて押さえておくようにしましょう。

2 媒介契約の内容

宅地建物の**売買**または**交換**の媒介契約を締結したときは、遅滞なく、**書面**を作成して**宅建業者が記名押印**し、依頼者に交付しなければなりません。

①所在など宅地建物を特定するために必要な表示
②宅地建物を売買す**べき価額**または評価額
③媒介契約の類型（明示型か否か、専任か否か）
④当該建物が既存の建物であるときは、**建物状況調査**を実施する者の**あっせんに関する事項**
⑤媒介契約の有効期間及び解除に関する事項
⑥宅地建物の指定流通機構への登録に関する事項
⑦報酬に関する事項
⑧その他国土交通省令・内閣府令で定める事項
- 専任媒介契約において、依頼者が**他の宅建業者**の媒介または代理によって契約を成立させたときの措置
- 専属専任媒介契約において、依頼者が宅建業者が探索した相手方**以外**の者と契約を締結したときの措置
- 依頼者が明示型の一般媒介契約において、依頼者が明示していない**他の宅建業者**の媒介または代理で契約を成立させたときの措置
- 媒介契約が国土交通大臣が定める標準媒介契約約款に基づくものであるか否かの別

このテーマのまとめ

- 媒介契約には、一般媒介契約と専任媒介契約、専属専任媒介契約がある。
- それぞれの媒介契約の有効期間などの違いを押さえよう。
- 宅地建物の売買または交換の媒介契約を締結したときは、書面を作成して宅建業者の記名押印が必要となる。

話したくなる！ 改正宅建業法の施行により、媒介契約の書面の交付について、依頼者の承諾を得た場合には電磁的方法によることができます。

Theme 10 重要事項説明

宅建業者は、売買・交換・貸借の契約成立前に、一定の重要事項を記載した書面を交付して、宅建士に説明させなければなりません。

重要事項説明を行う宅建士も、重要事項説明書に記名する宅建士も、いずれも専任である必要はありません。

話したくなる！　宅建業法35条に定める重要事項説明書は書類を交付して行いますが、これは重要な内容であるため書面化する必要があるためです。

1 重要事項説明の意義

宅建業者は、宅地建物に関し、売買、交換、貸借の契約が成立するまでの間に、一定の取引上の重要事項を記載した書面（**重要事項説明書：35条書面**）を取引の相手方等に交付して、宅建士に説明させなければなりません。なお、一定の要件を満たした場合、テレビ会議等のITによる重要事項説明も認められています。

2 説明の手続

①宅建士が担当：説明は必ず宅建士が行います。専任の宅建士である必要はありません。
②宅建士証の提示：説明をするときは、取引の相手方からの請求の有無を問わず、自らすすんで宅建士証を提示します。
③重要事項説明書の交付：説明は、重要事項説明書を交付して行います。
④宅建士の記名：重要事項説明書には責任の所在を明確にするため宅建士の記名が必要とされます。

3 説明の相手方

重要事項説明は権利を取得しようとする者に対して行う必要があります。なお、相手が宅建業者の場合には、重要事項についての説明は不要とされ、重要事項を記載した書面を交付すればよいとされています。

①売買の場合は、買主になろうとする者
②貸借の場合は、借主になろうとする者
③交換の場合は、両当事者

用語解説 IT重説…テレビ会議等のITを活用した重要事項説明のことで、パソコンやテレビ、タブレット等の端末の画像を利用して、対面と同様に説明を受け、あるいは質問を行える環境が必要です。

4 重要事項説明の内容

■重要事項1／物件に関する事項■
(1) 登記事項 ①登記名義人または表題部の所有者の氏名（法人は名称） ②登記された権利の種類、内容
(2) 法令上の制限の概要（①②など契約内容に応じて異なる） ①宅地・建物の売買、交換の場合　②宅地の貸借の場合 ～①②ともに、開発許可（建築制限）、容積率、建蔽率、用途規制など
(3) **私道負担**に関する事項⇒ただし、建物の**貸借**のときは不要
(4) 飲用水・電気・ガスの供給施設、排水施設の整備状況 （未整備のときは、整備の見通しと特別の負担）
(5) 未完成物件のときは、完了時の形状、構造のほかに次の①② ①宅地⇒宅地に接する道路の構造、幅員 ②建物⇒主要構造部、内装・外装の構造または仕上げなど
(6) 当該建物が既存の建物であるときは、次の①②の事項 ①**建物状況調査**の**実施の有無**及び実施している場合の**結果の概要** ②設計図書、点検記録その他の建物の建築及び維持保全の状況に関する書類で国土交通省令で定めるものの保存の状況
(7) 当該宅地建物が**土砂災害警戒区域内**または**造成宅地防災区域内**にあるときは、その旨
(8) 当該宅地建物が**津波災害警戒区域内・津波災害特別警戒区域内**にあるときは、その旨
(9) 当該建物が住宅品質確保促進法の規定による**住宅性能評価**を受けた**新築**住宅であるときは、その旨→ただし、建物の**貸借**のときは不要
(10) 水防法の規定により市町村の長が提供する図面（水害ハザードマップ）における当該宅地建物の所在地
(11) 建物について、**石綿の使用の有無**の調査結果が記録されているときは、その内容

用語解説 私道負担…不動産の売買において、土地の敷地内に含まれている私道の部分のことをいいます。私道部分には建物は建てられません。

(12) 建物（昭和56年6月1日以降に新築工事に着工したものを除く）が一定の耐震診断を受けたものであるときは、その内容
(13) 建物が区分所有建物である場合（貸借のとき→③⑨のみでよい） ⇒建物の特殊性を考慮して、さらに①～⑨の事項 ①敷地に関する権利の種類・内容 ②共用部分に関する**規約**（その案を含む）があるときは、その内容 →③専有部分の用途その他利用制限に関する**規約**（その案を含む）があるときは、その内容 ④建物または敷地の一部を特定の者にのみ使用を許す旨の規約（**専用使用権**）に関する**規約**（その案を含む）があるときは、その内容 ⑤計画修繕積立金に関する**規約**（その案を含む）があるときは、その内容、**既存積立**額 ⑥通常の管理費用の額 ⑦上記⑤⑥その他**費用**を特定の者にのみ**減免**する**規約**（その案を含む）があるときは、その内容 ⑧**修繕**の実施状況が記録されているときは、その内容 →⑨管理が委託されているときは、その委託先（受託者）の氏名・住所（法人の場合は、商号または名称・主たる事務所の所在地） ※②～⑤、⑦は規約（その案を含む）があるときだけ説明する。
(14) その他国土交通省令・内閣府令で定める事項（貸借の場合、付加される事項） ①台所、浴室、便所等建物設備の整備状況 ②契約期間、契約の更新に関する事項 ③定期借地権または定期建物賃貸借もしくは終身建物賃貸借であるときは、その旨 ④用途その他の利用制限に関する事項 ⑤契約終了時の金銭の精算に関する事項 ⑥管理が委託されているときは、その委託先（受託者）の氏名・住所（法人の場合は、商号または名称・主たる事務所の所在地） ⑦契約終了時の建物の取り壊しに関する事項を定めるときは、その内容 ・建物⇒①～⑥　・宅地⇒②～⑦

用語解説　土砂災害警戒区域…土砂災害のおそれがある地域のことで、土砂災害から生命及び身体を守るため、災害情報の伝達や避難が早くできるよう、警戒避難体制の整備が図られる地域です。

■重要事項２／取引条件に関する事項■
(1) 代金、交換差金、借賃**以外**に授受される金銭の額、授受の目的
(2) 契約の解除に関する事項
(3) 損害賠償額の予定または違約金に関する事項
(4) **手付金等**の**保全措置**の概要
(5) 支払金または預り金を受領する場合の保証・保全措置の有無と概要 ・支払金または預り金は、代金、交換差金、借賃、権利金、敷金などで、①～④を除く金銭 ① **50万円未満**のもの　②手付金等の保全措置が講じられているもの ③登記以後に受領するもの　④報酬
(6) 代金または交換差金に関する金銭貸借（ローン）のあっせんの内容、それが不成立のときの措置
(7) 種類または品質に関する契約不適合の担保責任の履行に関し保証保険契約の締結その他の措置を講ずるかどうか、及び講ずる場合における措置の概要
(8) 割賦販売の場合⇒以下の①～④が追加される ①現金販売価格　②割賦販売価格 ③物件の引渡しまでに支払う金銭の額 ④賦払金の額・その支払時期・方法 ※宅建業者が、宅地または建物にかかる信託の受益権の売主となる場合には、物件に関する事項の（1）～（5）、（7）～（13）及び、取引条件に関する事項の（7）について説明が必要です。

5 重要事項説明の内容の注意点

（1）説明の対象

売買の場合と貸借の場合とでは、重要事項の説明の対象は異なります。異なる項目を確認しておきましょう。

話したくなる! 1978（昭和53）年に発生した宮城県沖地震によって、多数の建物が被害に遭いました。これを受けて1981（昭和56）年に建築基準法が改正され、耐震基準が大幅に見直されることとなりました。

①私道負担に関する事項→建物の貸借のときは不要

②当該建物が住宅品質確保促進法の規定による住宅性能評価を受けた新築住宅であるときは、その旨→建物の貸借のときは不要

③建物が区分所有建物である場合で、貸借のときは次の2つだけでよい

・専有部分の用途その他利用制限に関する規約の内容

・管理の委託先（受託者）の氏名・住所

④貸借の場合に付加する事項

建物の貸借	説明事項	宅地の貸借
必要	①台所、浴室、便所等建物設備の整備状況	不要
必要	②契約期間、契約の更新に関する事項	必要
必要	③定期借地権（宅地の貸借）または定期建物賃貸借（建物の貸借）もしくは終身建物賃貸借（建物の貸借）であるときは、その旨	必要
必要	④用途その他の利用制限に関する事項	必要
必要	⑤契約終了時の金銭の精算に関する事項	必要
必要	⑥管理の委託先（受託者）の氏名・住所（法人の場合は、商号または名称・主たる事務所の所在地）	必要
不要	⑦契約終了時の建物の取り壊しに関する事項を定めるときは、その内容	必要

（2）その他の注意点

①石綿（アスベスト）の使用の有無について

宅建業者は自ら石綿の使用の有無を調査する必要はありませんが、調査結果が記録されているかどうかは調査し、調査結果がある場合にはその内容を重要事項説明書に記載して説明しなければなりません。

話したくなる! ホームインスペクションで行う調査は原則として目視・非破壊検査となります。その内容としては、打診棒と呼ばれる棒を使ってタイルの浮きを確認することや、鉄筋探査機を使って鉄筋コンクリートの基礎配筋を調査することなどがあります。

②建物の耐震診断について

昭和56年5月31日以前に着工された建物の耐震診断も、宅建業者が自ら耐震診断を行う必要はありません。しかし、耐震診断がある場合には、その結果を説明しなければなりません。

③代金（賃料）に関する事項

これは重要事項説明の内容ではありません。代金や賃料以外に授受される金銭、具体的には手付金や礼金・敷金の金額と目的については重要事項で説明がされることとセットで確認しておきましょう。

過去問　令和3年度10月　問36

宅地建物取引業者が行う宅地建物取引業法第35条に規定する重要事項の説明に関する次の記述のうち、同法の規定に少なくとも説明しなければならない事項として掲げられていないものはどれか。

1　建物の貸借の媒介を行う場合における、「都市計画法第29条第1項の規定に基づく制限」

2　建物の貸借の媒介を行う場合における、「当該建物について、石綿の使用の有無の調査の結果が記録されているときは、その内容」

選択肢1は掲げられていません。「都市計画法第29条第1項（開発行為の許可）の規定に基づく制限」は、宅地または建物の貸借の契約以外の契約において説明しなければならない事項です。

このテーマのまとめ

・重要事項説明の内容は覚えておこう！

・売買の場合と貸借の場合とでは、重要事項の説明の対象は異なるので、異なる項目を確認しておこう。

用語解説　石綿（アスベスト）…防音材、断熱材、保温材などの目的で使用された鉱物で、以前はビル等の建築工事において使われていました。吸い込むとじん肺の原因になるとされ、肺がんを起こす可能性があることから、現在では工事などでの使用が禁止されています。

Theme 11 37条書面の交付

37条書面とは、宅地建物をめぐる取引について、その契約内容が不明確であるために生じる当事者間の紛争をあらかじめ防止するために設けられたものです。

※改正宅建業法の施行により、従来必要とされていた宅建士の押印義務は廃止され、現在は記名のみとなっています。

話したくなる!　37条書面では、「売買・交換の場合」と「貸借の場合」の区別、そして「定めの有無」を区別しておけば得点しやすくなります。

1 売買・交換の場合の書面交付義務

(1) 書面交付義務の対象

宅建業者は、宅地建物の売買、交換に関して、遅滞なく、**一定の事項を記載した書面**(37条書面:契約書面)を交付しなければなりません。対象は次のとおりです。これは売主等にも交付しなければいけません。

①自ら当事者として契約を締結したときは、その相手方
②当事者を代理して契約を締結したときは、その相手方及び代理を依頼した者
③媒介により契約が成立したときは、その契約の各当事者

(2) 売買・交換の場合の37条書面の記載事項

誰が、何を、いくらで売買して、いつ引き渡してくれるのかに着目すると、必要的記載事項を覚えることができます。

なお、この表を覚える際には、重要事項説明(35条書面)の項目と比較して覚えることも有効です。次の表の⑦から⑪の項目については、重要事項説明と共通しています。

必要的記載事項	①当事者の氏名(法人はその名称)及び住所
	②宅地建物を特定するために必要な表示(宅地:所在・地番等、建物:所在・種類・構造等)
	③既存建物の構造耐力上主要な部分等の状況について当事者双方が確認した事項
	④代金または交換差金の額並びにその支払いの時期及び方法
	⑤宅地建物の引渡し時期
	⑥移転登記の申請時期

用語解説 交換差金…交換する不動産の価値が同額でない場合に、その差の部分を補うために授受される金銭のことをいいます。相手方から受け取った交換差金は譲渡所得として課税対象となります。

<table>
<tr><td rowspan="7">任意的記載事項</td><td>⑦代金、交換差金以外に授受される金銭（手付金・保証金）の額、授受の時期、目的</td><td rowspan="5">重要事項説明と共通する</td></tr>
<tr><td>⑧契約の解除に関する事項</td></tr>
<tr><td>⑨損害賠償額の予定または違約金に関する事項</td></tr>
<tr><td>⑩代金、交換差金についての金銭貸借のあっせんの定めがあるときは、あっせんにかかる金銭貸借が不成立のときの措置</td></tr>
<tr><td>⑪契約不適合の担保責任またはその責任の履行に関し保証保険契約の締結その他の措置の定めがあるときは、その内容。なお、重要事項説明書には契約不適合の担保責任の内容の記載は不要</td></tr>
<tr><td colspan="2">⑫天災その他不可抗力による損害の負担に関する定めがあるときは、その内容</td></tr>
<tr><td colspan="2">⑬当該宅地または建物にかかる租税その他の公課の負担に関する定めがあるときは、その内容</td></tr>
</table>

「定めがない」旨も記載する

上の表で①～⑥までの事項は、定めの有無を問わず記載しなければなりません。定めがない場合には、「定めがない」と記載する必要があります（必要的記載事項）。
これに対し、その他の事項は、定めがあるときだけ記載すればよい事項です（任意的記載事項）。

2 貸借の場合の書面交付義務

（1）書面交付義務の対象

売買・交換の場合と同様、次の者に37条書面を交付します。

①当事者を代理して契約を締結したときは、その相手方及び代理を依頼した者
②媒介により契約が成立したときは、その契約の各当事者

話したくなる! 37条書面は重要事項説明書の相手方に加え、貸主にも交付します。

(2) 貸借の場合の37条書面の記載事項

必要的記載事項	①当事者の氏名（法人はその名称）及び住所
	②宅地建物を特定するために必要な表示 （宅地：所在・地番等、建物：所在・種類・構造等）
	③借賃の額並びにその支払いの時期及び方法 （借賃の支払いは後払いが原則）
	④宅地建物の引渡し時期
任意的記載事項	⑤契約の解除に関する事項
	⑥損害賠償額の予定または違約金に関する事項
	⑦天災その他不可抗力による損害の負担に関する定めがあるときは、その内容
	⑧借賃以外に授受される金銭（権利金、礼金、敷金等）の額、授受の時期、目的

貸借の場合に記載不要なものを覚える

売買・交換の場合の表を基準にすると、必要的記載事項では③と⑥、任意的記載事項では⑩と⑪と⑬については、貸借の場合に記載不要なことがわかります。

3 宅建士の記名

37条書面には、宅建士が記名しなければなりません。なお、重要事項説明とは異なり、宅建士に説明させる必要はなく、宅建士に交付させる必要もありません。

用語解説 敷金…いかなる名目によるかを問わず、賃貸借に基づいて生ずる賃借人の賃貸人に対する金銭の給付を目的とする債務を担保する目的で、賃借人が賃貸人に交付する金銭をいいます。

過去問　平成30年度　問34　改題

宅地建物取引業者が媒介により既存建物の貸借の契約を成立させた場合、宅地建物取引業法第37条の規定により、当該貸借の契約当事者に対して交付すべき書面に必ず記載しなければならない事項の組合せはどれか。

ア　建物が種類又は品質に関して契約の内容に適合しない場合におけるその不適合を担保すべき責任の内容
イ　当事者の氏名（法人にあっては、その名称）及び住所
ウ　建物の引渡しの時期
エ　建物の構造耐力上主要な部分等の状況について当事者双方が確認した事項

選択肢アは記載する必要はありません。建物が種類または品質に関して契約の内容に適合しない場合におけるその不適合を担保すべき責任の内容は、宅地・建物の「売買・交換」の場合は、37条書面の任意的記載事項ですが、「貸借」の場合は、37条書面の記載事項ではありません。

選択肢エは記載する必要はありません。建物の構造耐力上主要な部分等の状況について、当事者双方が確認した事項は、既存住宅の「売買・交換」の場合の37条書面の必要的記載事項ですが、「貸借」の場合は、37条書面の記載事項ではありません。

以上から、必ず記載しなければならない事項の組合せはイ・ウです。

このテーマのまとめ

- 宅建業者は、宅地建物の売買、交換、貸借に関して、一定の事項を記載した書面（37条書面：契約書面）を交付しなければならない。
- 37条書面には、宅建士が記名しなければならない。

話したくなる！　37条書面についても、相手方の承諾を得た場合には、書面の交付に代えて電磁的方法によることができます。

Theme 12 クーリング・オフ

土地建物は高価なので、買主が慎重に売買の意思決定をしなければなりません。そこで、冷静に判断できる場所を規制するなど、買主を保護するためのクーリング・オフを定めています。

たまたま見かけた物件に惚れ込んでしまい、現地案内所で勢いのまま契約してしまったとき、取り消すことはできないのでしょうか。

話したくなる！　クーリング・オフに関する特約は、申込者等に不利なものであれば無効となります。たとえば、クーリング・オフの告知日から８日以内に買主が契約解除の書面を売主に届けなければ契約解除できないといった特約は無効となります。

1 クーリング・オフとは

宅建業者が自ら売主であり、かつ買主が宅建業者でない場合で、宅建業者の事務所等以外の場所で買受けの申込みや売買契約締結をした者（買主）は、書面によりその買受けの**申込みの撤回**または**契約の解除**（申込みの撤回等）をすることができます。これを、クーリング・オフといいます。

2 クーリング・オフが適用されない場所

宅建業者の事務所等で買受けの申込み等をした場合には、クーリング・オフの適用はありません。事務所等とは次の場所をいいます。

①　宅建業者の事務所
②　①以外の場所で継続的に業務を行うことができる施設を有するもの
③　一団の物件の分譲を案内所（土地に定着する）を設置して行う場合、その案内所
④　宅建業者の依頼により他の宅建業者が代理・媒介を行う場合、依頼を受けた業者の①②に該当するもの
⑤　宅建業者の依頼により他の宅建業者が一団の物件の分譲の代理・媒介を案内所を設置して行う場合、依頼を受けた業者の③に該当するもの
⑥　展示会など催しの実施場所
⑦　買主が自宅・勤務場所で説明を受けたい旨を申し出た場合、その買主の自宅・勤務場所（喫茶店は含まれない）

定着していなければならない！
事務所等は「土地に定着する建物内に設けられるもの」に限られます。テント張りのように容易に移動のできる施設でした申込みや契約は、撤回・解除することができます。

話したくなる！　クーリング・オフとは“cooling-off”という英語が語源で、意味は「頭を冷やす」ことです。一時的な気持ちの高ぶりで契約したけれど、本当にその契約をしてよいものだったのか、冷静に考え、見直す期間となります。

なお、以下の場合には買主等は申込みの撤回等ができません。慎重な判断があったものとみなされるからです。

①クーリング・オフ制度の概要を記載した書面の交付によって、その内容を告げられた場合において、告げられた日から起算して8日が経過したとき

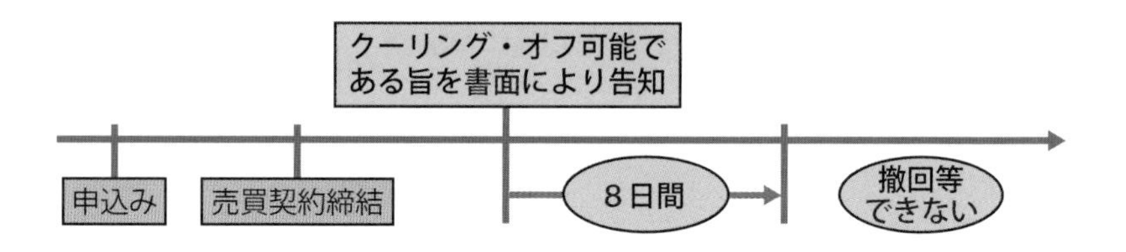

②物件の引渡しを受け、かつ、代金の全部を支払ったとき
③事務所等で買受けの申込みをし、事務所等以外の場所で売買契約を締結したとき

3 クーリング・オフの効果

申込みの撤回等の効力は、**書面を発した時**に生じます(発信主義)。また、クーリング・オフを受けた場合に宅建業者は**損害賠償**または**違約金**の請求が**できません**。宅建業者は速やかに、手付金等の金銭を返還する必要があります。

このテーマのまとめ

- 宅建業者が自ら売主となる場合において、買主は、書面によりその申込みの撤回等をすることができる場合がある。
- 宅建業者の事務所等で買受けの申込み等をした場合には、クーリング・オフの適用は受けられない。

話したくなる! クーリング・オフは書面で行うことができますが、その書面とは、ハガキ・手紙・内容証明郵便などをいいます。証拠を残すという観点から、コピーを取ったり、内容証明郵便を使用することが推奨されています。

Theme 13 手付に関する制限

不動産売買では、一般的に契約締結時に手付金が支払われます。宅建業法は手付について、手付の額と手付放棄による契約の解除について制限を設けています。

一時的に物件をキープするための手付が、代金額に比べて著しく高い割合に設定されると、契約の拘束から解放されることが困難になります。

用語解説　手付金等…中間金のように、代金の全部または一部として授受される金銭または手付金その他の名義で授受される金銭で代金に充当されるものであり、契約の締結の日以後物件の引渡し前に支払われるものが該当します。

1 手付の額の制限

（1）手付の額

宅建業者が自ら売主であり、かつ買主が宅建業者でない場合において、代金額の **10分の2** を超える額を受領することはできません。

（2）手付の性質

その手付がいかなる性質のものであっても、解約手付とされます。

（3）手付解除の方法

買主はその手付を放棄して、宅建業者はその倍額を現実に提供して、契約を解除することができます。ただし、相手方が「契約の履行に着手した後は契約を解除できない」という時期制限があります。

（4）制限に違反する特約の効力

これらに違反する特約で買主に不利なものは、無効とされます。なお、売買契約自体が無効となるものではないことに注意が必要です。

2 手付等の保全措置（ほぜんそち）

保全とは、物件の引渡し前に買主が支払う金銭を第三者に保管させるなどして、売主である不動産会社が倒産して物件が引き渡されない、という場合に、買主が支払った手付金等が返還されるための措置です。手付金等の保全措置が必要となるのは、宅建業者が売主であり、かつ買主が宅建業者でない場合です。ここでは中間金なども含みます。

（1）保全措置が必要な場合

宅建業者が売主であり、かつ買主が宅建業者でないときには、原則として、保全措置を講じた後でなければ、売主は手付金等を受領することはできません。

用語解説　手付金等寄託契約…宅建業者と指定保管機関との間で、宅建業者の代理として指定保管機関に手付金等を受領させ、宅建業者が受領した手付金等の額に相当する額の金銭を指定保管機関が保管することを内容とする契約です。

（2）保全措置が不要な場合

以下の場合には、例外的に手付金等を受領することができます。

①買主へ所有権移転登記がされたとき

②手付金が少額のとき。少額というのは、

・未完成物件→代金の 5%以下、かつ、1,000 万円以下

・完成物件→代金の 10%以下、かつ、1,000 万円以下のときです。

（3）保全措置の方法

未完成物件の場合	完成物件の場合
①銀行等による連帯保証 ②保険事業者による保証保険	①銀行等による連帯保証 ②保険事業者による保証保険 ③指定保管機関による保管

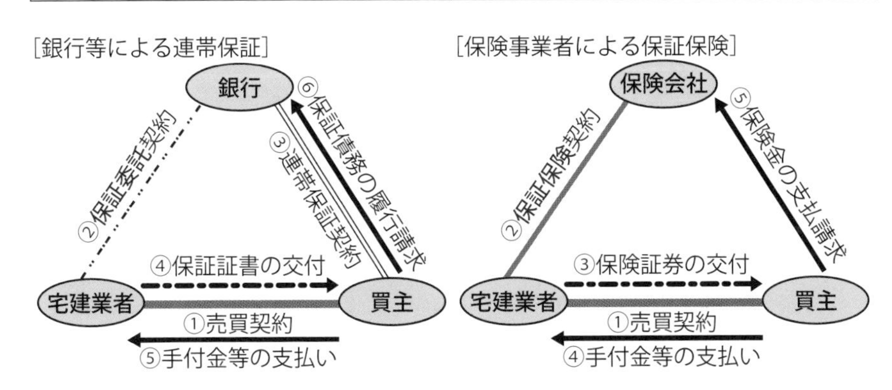

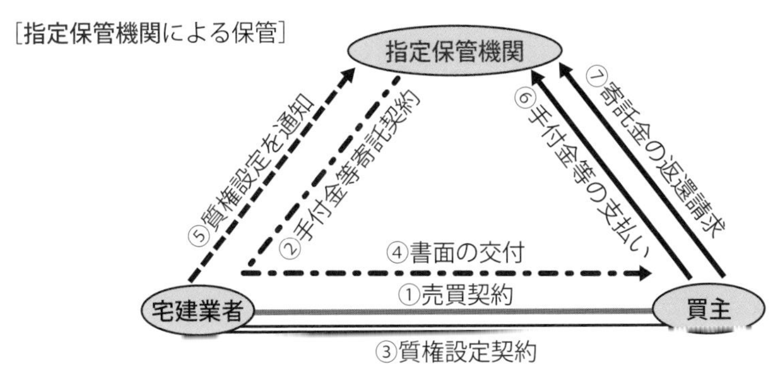

話したくなる! 完成物件の場合における指定保管機関は、いずれも公益社団法人の全国宅地建物取引業保証協会と不動産保証協会の２協会が担っています。

(4) 保全措置の範囲

①未完成物件のときに、代金額の5%または1,000万円を超える手付金等を受領する場合、あるいは②完成物件のときに、代金額の10%または1,000万円を超える手付金等を受領する場合は、それを超える部分だけではなく、その全額について保全措置を講じなければなりません。

過去問 平成30年度 問38

> 宅地建物取引業者である売主は、宅地建物取引業者ではない買主との間で、戸建住宅の売買契約(所有権の登記は当該住宅の引渡し時に行うものとする。)を締結した。この場合における宅地建物取引業法第41条又は第41条の2の規定に基づく手付金等の保全措置(以下この問において「保全措置」という。)に関する次の記述のうち、正しいものはどれか。
>
> 3 当該住宅が建築工事の完了前で、売主が買主から保全措置が必要となる額の手付金を受領する場合、売主は、事前に、国土交通大臣が指定する指定保管機関と手付金等寄託契約を締結し、かつ、当該契約を証する書面を買主に交付した後でなければ、買主からその手付金を受領することができない。

選択肢3は誤りです。工事完了前の物件(未完成物件)の売買の場合に利用することができる保全措置は、銀行等による保証と、保険会社による保証保険の2つです。指定保管機関による保管を利用することができるのは、工事完了後の物件(完成物件)の場合のみです。

このテーマのまとめ

・宅建業者が売主であり、かつ買主が宅建業者でないとき、代金額の10分の2を超える額は手付として受領できず、また手付金等の保全措置が必要となる。

話したくなる! 代金額の10分の2を超える額の手付を受領した場合には、10分の2を超える部分について無効となりますが、契約自体は有効となります。

Theme 14 その他の制限

宅建業者が自ら売主となる場合には各種の制限があります。買主が宅建業者でないときに限って適用され、宅建業者間の取引などには適用されません。

各種の制限のうち、今回はすでに学習したもの以外について見ていきましょう。

用語解説 自己の所有に属しない物件…他人所有物や、未完成物件のことをいいます。

1 自己の所有に属しない宅地建物の売買契約締結の禁止

宅建業者は、自己の所有に属しない物件については、自ら売主として**売買契約**（予約含む）を締結することが**できません**。売買契約が成立してもまだ自己所有でないため、物件が確実に買主の所有物になるとは限らないからです。

予約も含まれる！
禁止されるのは、売買契約の本契約だけでなく予約も含まれます。

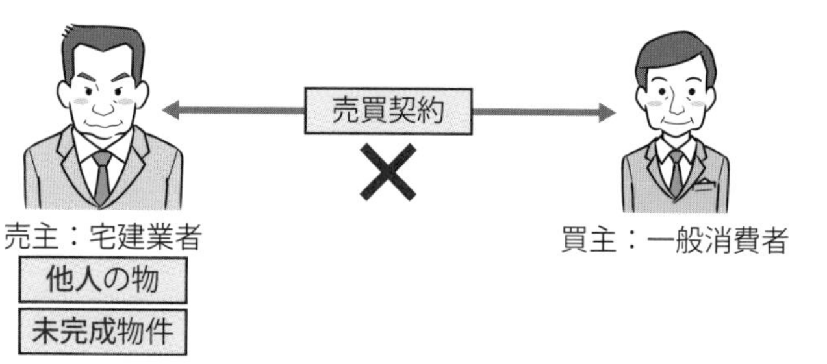

ただし、以下の①②のときは、売買契約を締結することができます。

①宅建業者が物件を取得する契約（予約含む）を締結しているとき、その他宅建業者が当該宅地または建物を取得できることが明らかな場合で国土交通省令・内閣府令で定めるとき。ただし、**停止条件**付契約または法定条件付契約であるときは締結できません。物件取得が不確実だからです。
②未完成物件で、手付金等の保全措置が講じられたときや、手付金等が少額で保全措置を講じる必要がないとき。

用語解説　停止条件…たとえば試験に合格したら車をあげるというように、法律行為の効力の発生を将来の不確実な事実の成否にかからしめることをいいます。

所有者⇔宅建業者⇔買主	
所有権移転の契約がまったくない	売買契約（予約**含む**）の締結は**できない**
何らかの所有権移転契約（予約**含む**）がある場合	売買契約（予約**含む**）の締結が**できる**
所有権移転の**停止**条件付または法定条件付契約がある場合	売買契約（予約**含む**）の締結は**できない**

2 損害賠償額の予定等の制限

宅建業者は、契約が履行されなかった場合に備えて、あらかじめ損害賠償や違約金について定めることがあります。しかし、この予定額があまりに高額だと、買主には酷なことになります。そこで宅建業法は次のような制限を設けて買主を保護することとしました。

損害賠償額の予定または違約金を定めるときは、その合算額が代金額の**10分の2**を超えてはいけません。なお、これに違反する特約は、特約そのものは無効とならず、**10分の2**を超える部分が無効とされます。

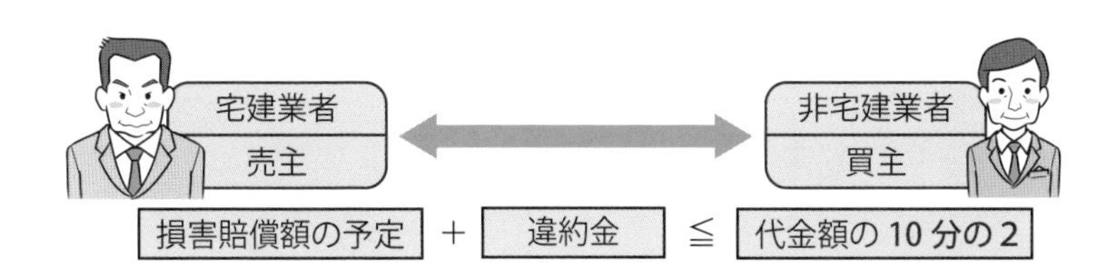

損害賠償額の予定または違約金を定めるとき「合算額」としたのは、売主がほかの名目で金銭を請求することを防止するためです。

話したくなる! 未完成物件で、手付金等の保全措置が講じられたときに売買契約を締結できるのは、買主の危険が少ないためです。

3 割賦販売の契約解除等の制限

割賦販売契約というのは、**分割払い**による代金（賦払金（ふばらい））支払いの契約のことです。宅地建物の売買契約では10年、20年にも及ぶ長期間にわたって賦払金を支払っていくのが通常ですが、長い間にはやむを得ない事情によって1度や2度の支払いの遅滞もあるでしょう。

こうした**債務不履行**があったからといって、たとえば「買主が1度でも賦払金の支払いに遅れたら直ちに契約を解除できる」というような特約が認められるとすると、買主には著しく不利な契約となります。

民法では、履行遅滞を理由とする解除は、相手方に相当の期間を定めて履行を催告して、その期間内に履行がなされないときに認められますが、宅建業法は、売主から一方的に契約の解除がなされないように配慮して、賦払金の支払いがないときは、①②の要件を備えた催告をしなければなりません。

① 30日以上の期間を与えること
②書面ですること

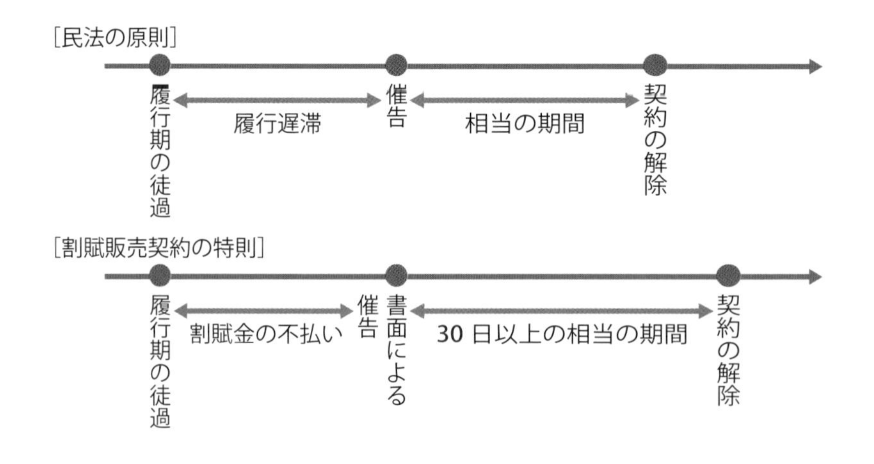

用語解説 違約金…債務の履行がなされなかった場合の経済的な制裁で、債務の履行を担保するためのものです。

平成28年度　問29　改題

宅地建物取引業者Aの業務に関する次の記述のうち、宅地建物取引業法（以下この問において「法」という。）の規定に違反するものはどれか。

エ　Aは、自ら売主となるマンションの割賦販売の契約について、宅地建物取引業者でない買主から賦払金が支払期日までに支払われなかったので、直ちに賦払金の支払の遅延を理由として契約を解除した。

選択肢エは違反します。宅建業者は、自ら売主となる宅地または建物の割賦販売の契約について賦払金の支払いの義務が履行されない場合においては、30日以上の相当の期間を定めてその支払いを書面で催告し、その期間内にその義務が履行されないときでなければ、賦払金の支払いの遅滞を理由として、契約を解除し、または支払時期の到来していない賦払金の支払いを請求することができません。

4　所有権留保等の禁止

所有権留保というのは、売主が**物件の引渡しはするが、代金が完済されるまでは所有権を売主にとどめておく**契約のことです。たとえ代金の半分以上が支払済みであっても、買主は所有者とはなれないわけですから、著しく不利な契約といえます。しかし一方で、売主にとっては残余金の支払いを担保することも必要ですから、宅建業法では両者の調和を考慮して一定の規制を設けています。

（1）所有権留保の禁止

原則として、**所有権留保**はできません。すなわち、宅建業者は、自ら売主として宅地建物の割賦販売を行った場合には、当該割賦販売にかかる宅地建物を買主に引き渡すまでに、登記その他引渡し以外の売主の義務を履行しなければなりません。しかし、次の場合には所有権留保も許されます。

話したくなる!　所有権留保は、動産の売買で売主を保護するために使われます。商品を販売した場合、信用売買・掛け売り（商品を引き渡した後に代金を支払う）が行われることがありますが、買主が代金を支払わない場合を担保するものです。

①物件の引渡し後であっても、宅建業者が受領した金銭の総額が代金額の10分の3を超えないとき
②買主が所有権の登記をした後の代金債務について、抵当権・先取特権の登記を申請する見込みや、保証人を立てる見込みがないとき

(2) 譲渡担保（じょうとたんぽ）の禁止

譲渡担保とは、たとえば、AのBに対する代金債権の担保として、Bが自己の不動産等について、Bはその占有を続けたまま所有権をAに譲渡し、弁済期までに債務の弁済があればその所有権がBに戻るとするものです。所有権留保を禁止したとしても、**譲渡担保**を認めると、所有権留保の場合と同様に、買主が不測の損害をこうむるおそれがあります。そこで、宅建業法は、物件の代金額の**10分の3**を超える額の支払いを受けた後は、残代金の支払いを担保する手段として当該物件を譲渡担保とすることを禁止しています。

(3) 担保責任についての特約の制限

その目的物が種類または品質に関して契約の内容に適合しない場合におけるその不適合を担保すべき責任に関して、民法で規定するよりも買主に不利となる特約をすることはできません。

このテーマのまとめ

- 宅建業者は、自己の所有に属しない物件については、自ら売主として売買契約（予約含む）を締結することができない。
- 損害賠償額の予定または違約金を定めるときは、その合算額が代金額の10分の2を超えてはいけない。
- 売主が物件の引渡しはするが代金が完済されるまでは所有権を売主にとどめておく契約のことを所有権留保という。

話したくなる！ 担保責任に関する特約の制限においては、契約不適合の場合に買主に契約の解除を認めなかったり、損害賠償しか請求できないとする特約や、契約不適合について故意・過失があるときにのみ売主は責任を負うとする特約なども締結することはできません。

第3章

法令上の制限

Theme 1

都市計画法・準都市計画区域・用途地域等

都市計画法は、人々が生活しやすい、安全で衛生的な街づくりを目的とする法律で、都市計画は原則として都市計画区域及び準都市計画区域で定められています。

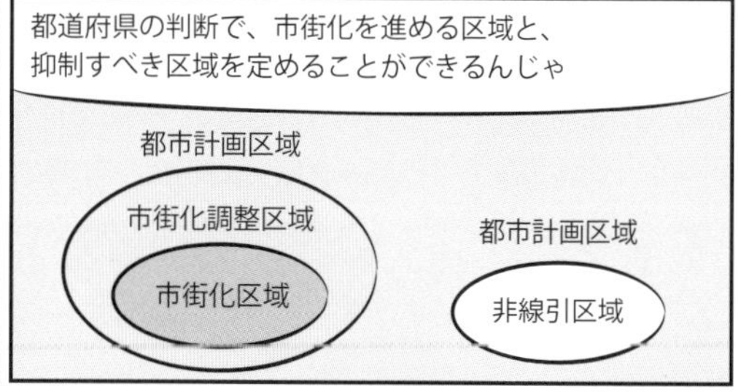

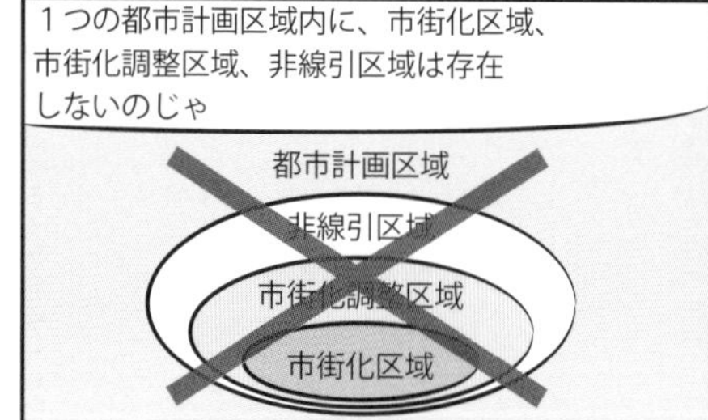

私たちが住みやすい街、働きやすい街とするために、どのような街づくりのルールがあるのでしょうか。

話したくなる!　都市計画法は、昭和30年代後半の高度経済成長を背景に、都市への急速な人口や諸機能の集中が進んだことから、市街地周辺の乱開発が全国的に深刻化していたことを受けて制定されました。

1 都市計画法の目的

都市計画法は、健康で文化的な都市生活と、機能的な都市活動を確保するための、いわば「快適に暮らせる街づくり」のためのルールを定めたものです。

無秩序な市街化の影響

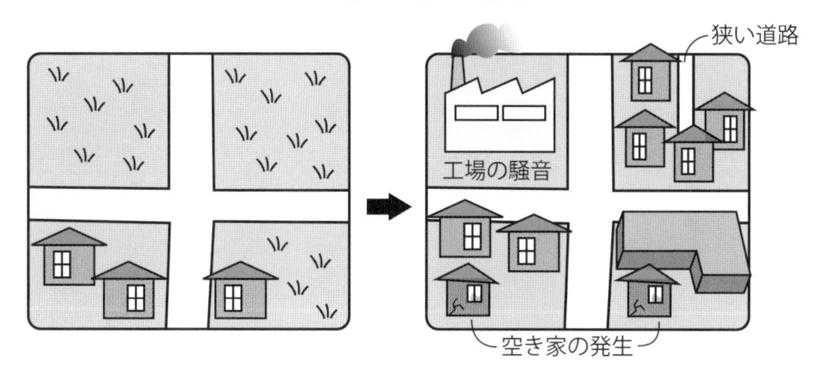

都市計画を策定する区域のことを都市計画区域といいます。都市計画区域の指定は、都道府県が行う場合と、国土交通大臣が行う場合があります。

大都会だけの話ではない！
都市計画というと、文字のイメージから大都会を思い浮かべる人もいるかもしれませんが、この場合は「街づくり」という意味で考えましょう。

2 準都市計画区域

準都市計画区域は、都市計画区域外の区域で、相当数の建築物や敷地の造成などが現に行われているか、今後行われると見込まれる区域を含み、そのまま放っておくと将来の整備、開発及び保全に支障が生じるおそれが

話したくなる！　用途地域以外の地域地区として、高度地区や高度利用地区などがあります。高度地区は建築物の高さに着目する地区で、高度利用地区は建築物の規模（土地をいかに高度に利用するか）に着目した地区のことです。

あると認められる区域について、都道府県が指定するものです。準都市計画区域の指定権者は都道府県です。準都市計画区域が指定されると、秩序だった土地利用のために次のものなどを定めることができます。

①用途地域　②高度地区（高さの最高限度に限り定められる）　③風致地区

3 市街化区域と市街化調整区域の区分（区域区分）

無秩序な市街化を防止するため、都道府県は必要に応じて都市計画区域を市街化区域と市街化調整区域に区分することができます。この区分を一般に**線引**と呼びます。

①市街化区域
市街化区域とは、すでに市街地を形成している区域及びおおむね10年以内に優先的かつ計画的に市街化を図るべき区域をいいます。
②市街化調整区域
市街化調整区域とは、市街化を抑制すべき区域をいいます。

各区域についてはその区分をもとに、各区域の整備などの方針を定めます。これらの方針には、都市計画の目標や土地利用の方針などが含まれ、これに基づいて**地域地区**、**都市施設**、**市街地開発事業**についての都市計画が定められます。

過去問　**平成30年度　問16**

都市計画法に関する次の記述のうち、誤っているものはどれか。

4　準都市計画区域については、無秩序な市街化を防止し、計画的な市街化を図るため、都市計画に市街化区域と市街化調整区域との区分を定めなければならない。

話したくなる!　風致地区とは都市の自然的景観を維持するために定められるもので、指定された地区では建築物の建設や色彩の変更、樹木の伐採などに制限が加えられます。東京の明治神宮周辺が最初の風致地区に指定されました。

選択肢４は誤りです。準都市計画区域では、本肢のような市街化区域と市街化調整区域との区分（区域区分）を定めることはできません。区域区分は、都市計画区域の都市計画において定めることができるものとされています。

4 用途地域の指定

都道府県によって区域区分についての都市計画が定められると、次はさらに細かい**地域地区の指定**が行われます。地域地区のうち用途地域とは、都市における建築物の用途と土地の高度利用の促進を図る地域のことをいいます。

用途地域は、市街化区域では必ず定めなければいけませんが、市街化調整区域では原則として定めません。用途地域には次の13種類があります。

用途地域	概　要
第一種低層住居専用地域	低層住宅にかかる良好な住居の環境を保護するために定める地域
第二種低層住居専用地域	**主として**低層住宅にかかる良好な住居の環境を保護するために定める地域
第一種中高層住居専用地域	中高層住宅にかかる良好な住居の環境を保護するために定める地域
第二種中高層住居専用地域	**主として**中高層住宅にかかる良好な住居の環境を保護するために定める地域
第一種住居地域	住居の環境を保護するために定める地域
第二種住居地域	**主として**住居の環境を保護するために定める地域

（次ページへ続く）

用語解説 低層住居…おおむね1階～2階建ての住宅のことをいいます。低層住居専用地域では、良好な住環境を確保するため「絶対高さ制限」によって建物の高さが10mないし12mと制限されており、いわゆる「閑静な住宅街」をイメージするとよいでしょう。

準住居地域	道路の沿道としての地域の特性にふさわしい業務の利便の増進を図りつつ、これと調和した住居の環境を保護するために定める地域
田園住居地域	農業の利便の増進を図りつつ、これと調和した低層住宅にかかる良好な住居の環境を保護するために定める地域
近隣商業地域	近隣の住宅地の住民に対する日用品の供給を行うことを主たる内容とする商業その他の業務の利便を増進するために定める地域
商業地域	**主として**商業その他の業務の利便を増進するために定める地域
準工業地域	**主として**環境の悪化をもたらすおそれのない工業の利便を増進するために定める地域
工業地域	**主として**工業の利便を増進するために定める地域
工業専用地域	工業の利便を増進するために定める地域

このテーマのまとめ

- 都市計画法は、快適に暮らせる街づくりのためのルールを定めたもの。
- 都市計画は、原則として都市計画区域と準都市計画区域で定められている。
- 都道府県によって区域区分についての都市計画が定められると、さらに細かい地域地区の指定が行われる。地域地区には 13 種類の用途地域がある。

話したくなる! 準住居地域は幹線道路沿いが指定されることが多いため、住宅を購入する際には騒音や振動も考慮することがポイントです。

Theme 2 都市計画の内容と決定手続

都市計画区域の中を市街化区域や用途地域に指定したら、次は具体的に「街づくりのための計画」を実現させていく必要があります。どのような内容なのか見ていきましょう。

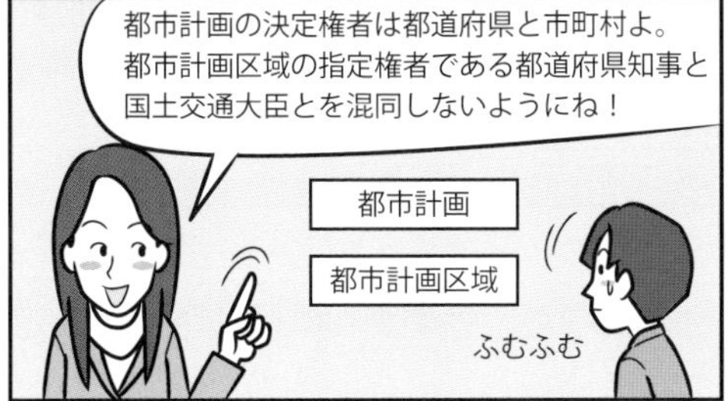

街づくり計画を実現していく手段としての「市街地開発事業」について整理していきましょう。

話したくなる！ 都市計画案は市役所などで確認（公衆の縦覧）ができます。確認できる期間は2週間となっており、この間に住民や利害関係人は意見書を提出することができます。

1 都市計画の内容

都市を形成するうえで必要な施設のことを都市施設といいます。都市施設には以下のものがあります。都市施設も原則として都市計画区域内で定めますが、特に必要があるときは都市計画区域外でも定めることができます。

①道路、都市高速鉄道、空港、港湾などの交通施設
②公園、緑地、広場などの公共空地
③水道、電気供給施設、ガス供給施設、下水道、汚物処理場、ごみ処理場などの供給施設または処理施設
④学校、図書館、美術館などの教育文化施設
⑤病院、保育所その他の医療施設、社会福祉施設
⑥一団地の住宅施設
⑦その他

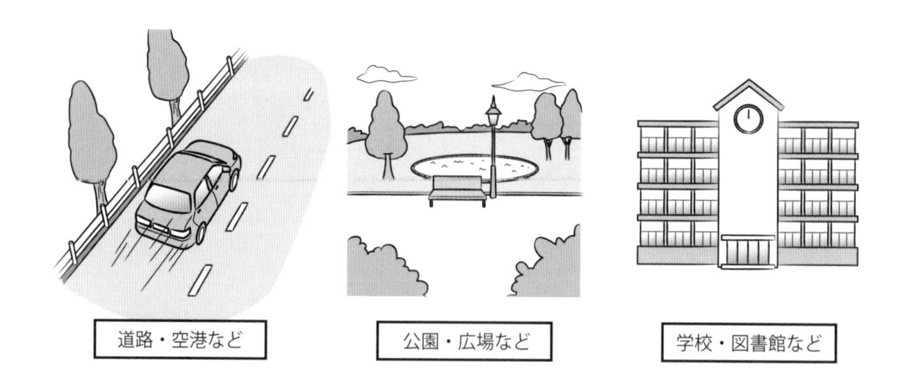

都市施設のうち、市街化区域では、少なくとも**道路**、**公園**、**下水道**を定めます。市街化区域は建物が多くある区域なので、人や車もたくさん集まります。スムーズな移動のためには**道路**が整備されている必要がありますし、災害が発生したときに避難する**公園**や、より衛生的な環境を保つには

話したくなる! 都市計画法で「少なくとも○○を定める」としてあるものは、「最低限必要ですよ」「必ず必要ですよ」という意味です。

下水道設備が欠かせません。

また、**住居系の用途地域**（第一種・第二種低層住居専用地域、第一種・第二種中高層住居専用地域、第一種・第二種住居地域、準住居地域及び田園住居地域）では、小学校や中学校といった**義務教育施設**を定めなければなりません。

都市施設のうち、都市計画で具体的に定められたものを都市計画施設といいます。都市計画施設の区域内で建築物を建築する際には、都道府県知事等の許可が必要になります。ただし、軽易な行為や都市計画事業として行う行為、非常災害時の応急措置として行う場合は例外となります。

過去問　平成29年度　問16　改題

都市計画法に関する次の記述のうち、正しいものはどれか。

ア　都市計画施設の区域又は市街地開発事業の施行区域内において建築物の建築をしようとする者は、一定の場合を除き、都道府県知事（市の区域内にあっては、当該市の長）の許可を受ける必要はない。

選択肢アは誤りです。都市計画施設の区域または後述する市街地開発事業の施行区域内において建築物の建築をしようとする者は、非常災害のため必要な応急措置として行う行為等一定の場合を除いて、都道府県知事（市の区域内にあっては、当該市の長）の許可を受けなければなりません。

2 市街地開発事業（しがいちかいはつじぎょう）・市街地開発事業等予定区域

（1）市街地開発事業

市街地開発事業は、市街化区域内及び非線引区域内において、一体的に開発し、または整備する必要がある土地の区域について定められます。

市街地開発事業の施行区域内では、都市計画施設の場合と同様の規制を受けます。

話したくなる！　住居系の用途地域で義務教育施設を定めなければいけないのは、住居系の用途地域には子どもがいることが想定され、子どもたちが通う学校は近くにあることが望ましいからです。

（2）市街地開発事業等予定区域

都市計画で定められた市街地開発事業等予定区域内では、土地の形質の変更や建築物の建築などを行う場合には、都道府県知事等の許可を受けなければいけません。ただし、通常の管理行為や軽易な行為、都市計画事業として行う行為、非常災害時の応急措置として行う場合は例外となります。

3 地区計画等

地区計画の区域内で、土地の区画形質の変更や建築物の建築などを行う場合には、行為に着手する30日前までに市町村長に届け出なければいけません。ただし、条例で、地区計画の一定の区域内の農地の区域内における土地の形質の変更、建築物の建築などについて、市町村長の許可を受けなければならないとすることができます。

4 都市計画の決定

（1）都市計画の決定権者

都市計画の決定権者は、原則として**都道府県**及び**市町村**です。市町村が都市計画を定める場合は、議会の議決を経て定められた、当該市町村の建設に関する基本構想に即したものでなければならず、都道府県が定めた都市計画に適合するものでなければなりません。もし両者の内容が抵触する場合には、都道府県の定めた都市計画が優先します。

（2）都市計画の決定手続

都道府県が都市計画を決定する場合、都道府県は関係市町村の意見を聴き、都道府県都市計画審議会の議を経たうえで決定します。また、市町村が都市計画を決定する場合、市町村都市計画審議会の議を経たうえで決定します。決定しようとするときは、あらかじめ都道府県知事と協議しなければいけません。

話したくなる！ 都市計画は住民の意見を反映しながら進められるものなので、都市計画の案を作成する際、必要に応じて公開のもとで、住民の意見を聴き、反映させることができるようにする公聴会が開かれることがあります。

5 都市計画事業と都市計画事業制限

（1）都市計画事業

都市計画事業とは、市町村等が都道府県知事等の認可または承認を受けて、実際に行われる都市計画施設の整備に関する事業及び市街地開発事業をいいます。施行者は原則として**市町村**となります。

都市計画事業の認可や承認を申請する場合は、一定の事項を記載した申請書を、国土交通大臣または都道府県知事に提出します。

（2）都市計画事業制限

都市計画事業の認可または承認の告示があった後は、事業地内で次の行為を行おうとする場合には、都道府県知事等の許可が必要になります。知事等がこの許可をする場合には、あらかじめ施行者の意見を聴かなければなりません。

①都市計画事業の施行の障害となるおそれがある土地の形質の変更や建築物の建築その他工作物の建設
②重量５トンを超える移動の容易でない物件の設置または堆積

このテーマのまとめ

- 都市を形成するうえで必要な施設のことを都市施設という。
- 市街地開発事業は、市街化区域内及び非線引区域内において、一体的に開発し、または整備する必要がある土地の区域について定められる。
- 市街地開発事業等予定区域では、土地の形質の変更や建築物の建築などを行う場合には、都道府県知事等の許可を受けなければならない。

用語解説　告示…国や地方公共団体などの機関が、決定した事項などを広く公式に一般に知らせることです。

Theme 3 開発行為の許可制と建築制限

建築物の建築または特定工作物の建設のために土地の区画・形質を変更することを開発行為といいます。開発行為を行う場合は都道府県知事の許可を得なければいけません。

都道府県知事は、都市計画法が定める許可基準を満たした開発行為の申請があったときは、許可しなければなりません。

話したくなる! 特定工作物には、コンクリートプラント、危険物の貯蔵・処理施設など、周辺地域の環境の悪化をもたらす危険のある第一種特定工作物と、ゴルフコースや1ヘクタール以上の野球場、遊園地など大規模な工作物である第二種特定工作物があります。

1 開発行為

(1) 開発行為と特定工作物

開発行為とは、主として建築物の建築または特定工作物の建設のために行う、土地の区画・形質の変更（宅地整備工事など）のことをいいます。開発行為を行うには、原則として**都道府県知事**の**許可**を受けます。

(2) 許可不要の開発行為

すべての開発行為に許可が必要なのではなく、区域ごとに許可の必要な面積や、開発行為の目的によっても許可不要な場合が定められています。

①面積によって許可不要な場合

- 市街化区域内→ 1,000㎡未満の開発行為
- 区域区分が定められていない都市計画区域（非線引区域）内、または準都市計画区域内→ 3,000㎡未満の開発行為
- 都市計画区域及び準都市計画区域外の区域→ 1ヘクタール未満の開発行為

②目的によって許可不要な場合

- 市街化区域以外の区域で行う、畜舎・温室など農林漁業用の建築物や、農林漁業者の住宅の建築のための開発行為
- 駅舎その他の鉄道施設、図書館、公民館、変電所など公益上必要な建築物の建築のための開発行為
- 都市計画事業、土地区画整理事業、市街地再開発事業、住宅街区整備事業、防災街区整備事業の施行として行う開発行為
- 非常災害の応急措置として行う開発行為
- 通常の管理行為、軽易な行為　など

話したくなる! 都道府県知事が開発許可をしたときに、開発許可の年月日、予定建築物などの用途、公共施設の種類、位置及び区域やその他の開発許可の内容などについての事項を登録するものを、開発登録簿といいます。

許可が不要な場合

畜舎や温室など

駅舎・図書館など

2 開発許可の基準

開発許可の基準には、都市計画法 33 条に定められた基準（**33 条基準**）と 34 条に定められた基準（**34 条基準**）があります。33 条基準は、開発行為の最低基準です。

34 条基準は、市街化調整区域だけに適用される基準です。市街化調整区域内で開発行為の許可を受けるためには、33 条基準をすべて満たしたうえで、さらに 34 条基準のいずれか 1 つを満たさなければなりません。

市街化調整区域以外の区域で行う開発行為は、33 条基準のすべてを満たした場合に許可されます。

3 開発区域内の建築制限

（1）工事完了前の建築制限

開発許可を受けた開発区域内では、工事完了の公告があるまでは、次の例外を除いて建築物や特定工作物を建てることはできません。

①工事用の仮設建築物や特定工作物を建てる場合
②知事が支障なしと認めた場合
③開発行為に同意していない土地の権利者が、その権利に基づいて建築物を建築する場合

話したくなる! 33 条基準には、予定建築物の用途が用途地域等の用途制限に適合していることなどの基準が定められています。

(2) 工事完了後の建築制限

開発許可を受けた開発区域内では、工事完了の公告後は、許可された予定建築物以外は建築することができません。また、建築物を改築したり用途変更をしたりして予定建築物以外のものにすることもできません。

(3) 市街化調整区域内の建築制限

市街化調整区域では、知事が開発を許可するにあたり、建築物の敷地、構造、設備に関する制限を定めた場合には、これに反する建築物は建築することができません。

4 開発許可申請

開発行為の許可を受けようとする者は、次に掲げる事項を記載した申請書を**都道府県知事**に提出する必要があります。

①開発区域の位置、区域及び規模
②予定建築物または特定工作物の用途
③開発行為に関する設計
④工事施行者　　など

このテーマのまとめ

- 開発行為とは、主として建築物の建築または特定工作物の建設のために行う、土地の区画・形質の変更のことをいい、開発行為を行うには、原則として都道府県知事の許可を受ける。
- すべての開発行為に許可が必要なのではなく、区域ごとに許可の必要な面積や、開発行為の目的によって許可不要な場合が定められている。
- 開発行為の許可を受けようとする者は、申請書を都道府県知事に提出する必要がある。

話したくなる!　34条基準には、市街化するおそれがないもの等が基準となっており、開発区域周辺の居住者に日用品を供給するための店舗などを建築するための開発行為などが定められています。

Theme
4 建築確認・道路

建築基準法は私たちが安全に暮らしていくために、建築物や道路について各種の基準を定めています。建築物が関連する法令に適合するかどうかは公的な確認によってなされます。

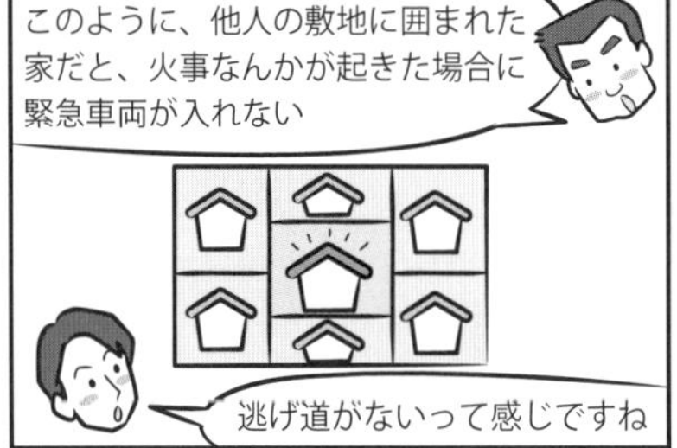

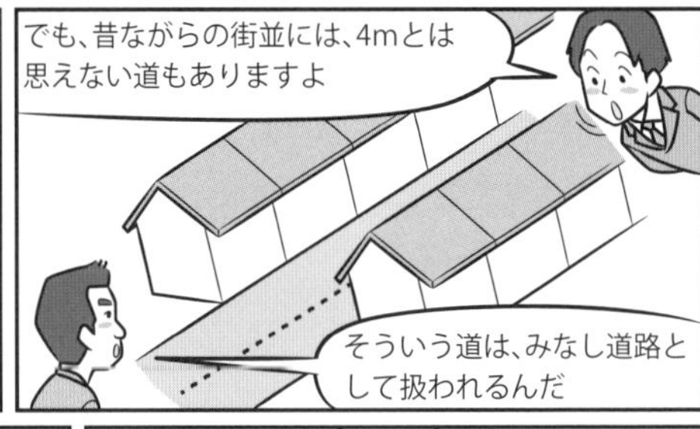

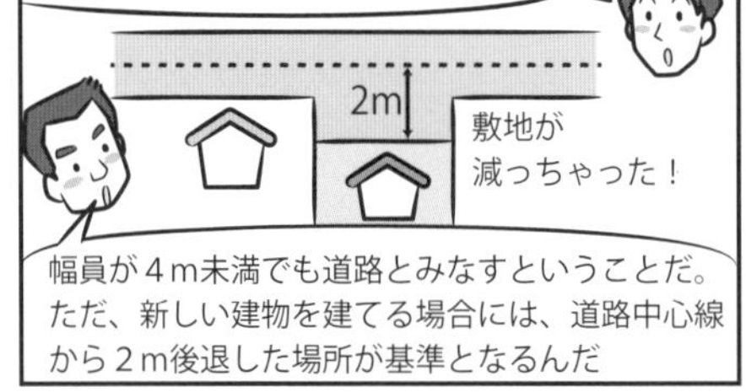

新たに建築物を造る際、道路にはどのようなルールが決められているのでしょうか。

話したくなる！　建築基準法は、建築物の敷地、構造、設備及び用途に関する最低の基準を規定することで、建築物の利用者や周辺住民の安全や財産を保護することを目的としている法律です。したがって、「家づくりの条件」を定める法律といえます。

1 建築物の敷地・構造・衛生に関する規制

日本は、台風や土砂災害、地震や火山噴火といった自然災害が、世界で最も発生しやすい国といわれています。日本の国土面積は世界の0.29%ですが、そこに1億2千万人を超す人々が居住しています。そうなると、生活圏の中に住居や産業が混在したり、過密化したりすることは避けられません。このような状況を踏まえ、建築基準法では**建築物を利用する人の安全を確保するための基準**が定められています。

建築基準法は最低の基準を定めている
建築物の利用者や周辺住民の安全や財産を保護することを目的として、建築基準法では、建築物の敷地や構造、設備及び用途に関する最低の基準を決めています。日本全国で適用される単体規定と、都市計画区域や準都市計画区域でのみ適用される集団規定があります。

建築物とは、土地に定着する**工作物**のうち、**屋根**や**柱**もしくは**壁**を有するものなどのことをいいます。定着するとは、土地にしっかりとくっついて簡単には離れないということであり、工作物とは人間が作ったもののことをさします。

建築物の敷地は、そこに接している**道の境**から、建築物の地盤面はそこに接している**周囲の土地**より高くなければいけません。

また、建築物の構造は、**政令で定める技術的基準**に合ったものでなければいけません。主要構造部に可燃材料を使った次のような建築物では、火災が起きた際に、通常の消火活動によって鎮火できるまでの間、倒壊などを起こさずに持ちこたえられることが求められています。

①4階（地階を除く）以上の建築物
②高さが16mを超える建築物
③倉庫や自動車の車庫などで高さが13mを超えるもの

用語解説　特定行政庁…建築確認の申請書は特定行政庁に提出するようになっています。特定行政庁とは、建築主事がいる市町村や特別区ではその長のことを、それ以外の市町村や特別区では都道府県知事となります。

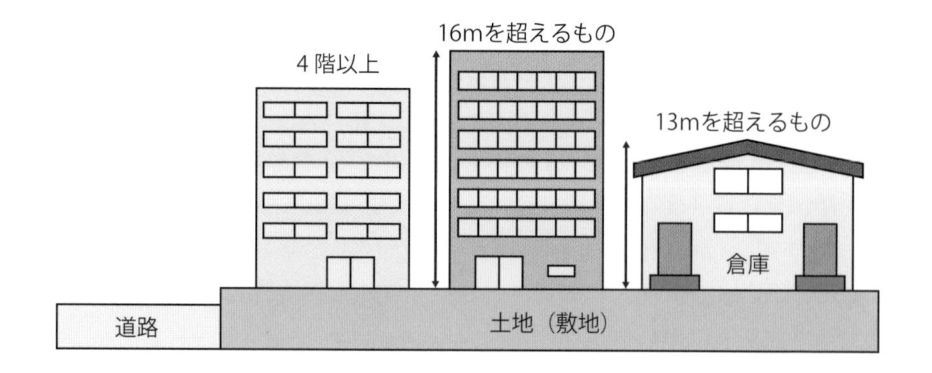

そして、住宅や学校、病院などの居室には、採光や換気のため、窓などの**開口部**を設けなければいけません。その大きさは、居室の種類に応じて5分の1～10分の1の割合とされています。たとえば、住宅では7分の1以上（ただし、照明設備が設置されているなどの場合には10分の1以上）となります。また、住宅の居室などを地下に作る場合には、壁や床の防湿のための基準があります。

2 建築確認

建築確認とは、**建築計画が建築関連の法令に適合しているか**公的にチェックする仕組みです。建築物を建てようとする場合には、工事に取り掛かる前に建築確認の申請書を提出して、**建築主事等**や**指定確認検査機関**（建築主事と同じ業務を行う民間機関）の確認を受けなければいけません。

過去問　平成26年度　問17　改題

建築基準法に関する次の記述のうち、誤っているものはどれか。

2　建築確認の対象となり得る工事は、建築物の建築、大規模の修繕及び大規模の模様替であり、建築物の移転は対象外である。

用語解説　建築主事…建築確認などを行う、いわば建築専門の公務員のことをいいます。

選択肢2は誤りであり、建築物の移転も確認の対象となっています。建築確認は、建築物の所在する区域の別や建築物の種類・規模、建築行為の種類（新築、増改築、移転、大規模な修繕・模様替え、用途変更）に応じて確認の有無が変わります。

3 道路

（1）道路の規制

建築基準法では、都市計画区域及び準都市計画区域内の道路についても規制があります。道路とは、次のいずれかに当てはまる幅員（ふくいん）（道路の幅）4m以上のものです。

①道路法、都市計画法、土地区画整理法などによる道路。また、これらの法律に基づいて、2年以内に作り始めると特定行政庁が指定したもの
②建築基準法の道路規定を適用した時に、すでに存在していた公道や私道
③私道のうち、土地を建築物の敷地として利用するため、特定行政庁から位置の指定を受けたもの（位置指定道路）

建築物の敷地は、建築基準法上の道路（自動車専用道路を除く）に、2m以上接していなければなりません。これを**接道義務**（せつどうぎむ）といいます。

（2）幅員4m未満の道路とセットバック

建築基準法の道路規定の適用の際にすでに存在していた道路で、特定行政庁が指定したものについては、幅員が4m未満でも道路として扱われる場合があります。これを**みなし道路**といい、道路の中心線から2mの線を道路境界線とするもの（**セットバック**）です。この場合、容積率（ようせきりつ）や建蔽率（けんぺいりつ）の計算の際には**セットバック後の道路境界線を基準に計算**を行います。

用語解説 公道と私道…公道とは、文字どおり公共団体に管理されている道路で、修理や清掃などの管理も公共団体の管轄です。一方で私道とは、個人や企業がその敷地内に作ったものですが、一定の手続によって、建築基準法上の道路になることができます。

もし、既存の建物を取り壊して新しい建物を造ろうとする場合には、セットバック後の敷地に建てなければなりません。

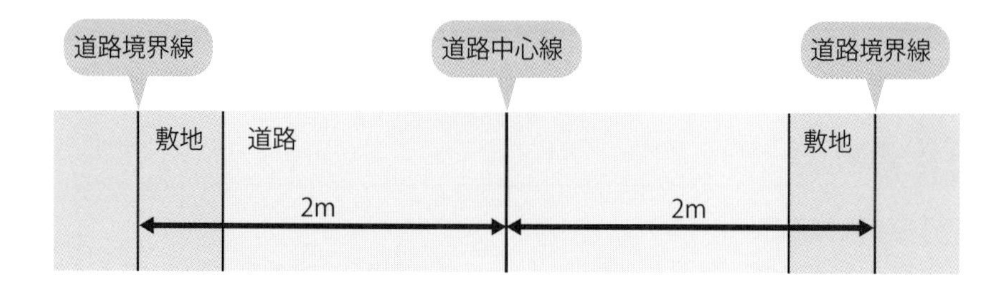

(3) 道路内の建築制限

建築物や擁壁(ようへき)は、道路内や道路に突き出して建築することができません。ただし、地盤面下に設ける建築物などについては、道路の通行の邪魔とはならないため、道路内に建築することができます。

このテーマのまとめ

- 建築基準法では、建築物の敷地や構造についての基準が定められている。
- 建築物を建てようとする場合には、建築計画が建築関連の法令に適合しているかのチェックを受けるため、建築確認の申請を行わなければならない。
- 道路とは基本的に4m以上のものをさすが、一定の道路については4m未満でも道路とみなされる。

用語解説 位置指定道路…広い土地を分割して分譲するという場合、道路に接していない土地があると、建物を建てられません。そこで、それぞれの土地の一部を道路として提供し、特定行政庁に位置指定を受けることで、敷地内に建物を建てることができます。

Theme 5  用途制限、建蔽率と容積率

私たちが普段生活している土地には、敷地いっぱいに建物を建てるなど、好きなように建物を建築することができるのでしょうか。建物を取り巻く規制について見ていきます。

私たちの暮らしを守るため、建築基準法ではどんな場所にどんな建物を建てることができるかが決められています。

話したくなる！　用途制限についてはすべてを正確に暗記することが一番の試験対策ですが、効率よく覚えなければ時間がかかります。まずはすべての用途地域で建築できるものや、最も制限の厳しい用途地域といったところから覚えていくようにしましょう。

1 用途制限

用途制限とは、「この地域にはこの種の建物は建てられない」ということを、建築基準法で詳しく定めたものです。たとえば、静かな住宅街の中に火薬を作る工場ができると危険であるため、住宅街には火薬類を作る工場を建てることができないようになっています。このように、建築物の用途制限をする地域のことを**用途地域**と呼びます。

すべての用途地域で建築できる建築物	神社や寺院などの宗教施設、公衆浴場、保育所、診療所など
最も制限の厳しい用途地域	第一種低層住居専用地域、工業専用地域

第一種低層住居専用地域と工業専用地域では、建築できるものが少なくなっています。第一種低層住居専用地域では、住宅、幼稚園・小中高校・図書館などが建築できます。また、工業専用地域では、すべての用途地域で建築できるものと、工場、自動車車庫、事務所、カラオケボックスなどが建築できます。

建築物の用途制限において、建築物の敷地が複数の用途地域にまたがっている場合、敷地の過半が属する用途地域の制限を受けます。これは、敷地のどこに建築物が建っているかは関係ありません。

2 建蔽率

建蔽率とは、建物が土地を蔽(おお)う比率、つまり**建物の建築面積の敷地面積に対する割合**のことです。都市計画区域内に建築物を建てる場合、すべての建物が敷地内いっぱいに建てられるわけではありません。**一定の割合で空地を確保するため**に、建蔽率の制限が設けられているのです。建蔽率は用途地域ごとに異なっており、たとえば商業地域では 10 分の 8 といったように設定されています。

用語解説 建築面積…建築面積は通常だと建物１階部分の面積となりますが、２階以上にそれより広い階がある場合には、その部分の面積となります。

次の場合には、建蔽率の制限が **10分の1** 緩和され、建てられる面積が広くなります。

①建蔽率の限度が10分の8とされた地域外で、かつ、防火地域内にある耐火建築物等、準防火地域内にある耐火建築物等、準耐火建築物等
②街区の角にある敷地で特定行政庁が指定するものの内にある建築物

次の場合には、建蔽率の制限がなく、敷地いっぱいに建築できます。

①建蔽率の限度が10分の8とされた地域内及び商業地域内で、防火地域内にある耐火建築物等
②巡査派出所、公衆便所など
③公園内、広場内、道路内などの建築物で特定行政庁が安全上・防火上・衛生上支障がないと認めて建築審査会の同意を得て許可したもの

用途制限と違い、建築物の敷地が建蔽率の異なる複数の用途地域にまたがっている場合、それぞれの地域ごとの面積比に乗じて算出されます。

過去問　令和3年度10月　問18

次の記述のうち、建築基準法の規定によれば、誤っているものはどれか。

1　都市計画により建蔽率の限度が10分の6と定められている近隣商業地域において、準防火地域内にある耐火建築物で、街区の角にある敷地又はこれに準ずる敷地で特定行政庁が指定するものの内にある建築物については、建蔽率の限度が10分の8となる。

準防火地域内の耐火建築物等で、街区の角にある敷地またはこれに準ず

用語解説 耐火建築物等・準耐火建築物等…耐火建築物、準耐火建築物またはこれらと同等以上の延焼防止性能があるものとして政令で定める建築物のことをいいます。

る敷地で特定行政庁が指定するものの内にある建築物は、建蔽率の限度に10分の2を加えることができるので、建蔽率の限度が10分の8になります。

3 容積率

(1) 容積率の求め方

建蔽率と同様に、都市計画区域内に建築物を建てる場合、建築物の規模が規制されています。これを**容積率**といい、**建物の延べ面積の敷地面積に対する割合**で表されます。延べ面積は建築物の各階の床面積の合計となります。

容積率は用途地域ごとに定められており、たとえば第一種住居地域であれば10分の10、10分の15、10分の20、10分の30、10分の40、10分の50のうち**都市計画**で定めるものとなっています。仮に、都市計画で容積率が10分の20と定められている第一種住居地域で、100㎡の土地に住居を建てる場合、敷地いっぱいに建てようとすると延べ200㎡となり、2階建てが限度となります。とはいえ、これまで見てきた建蔽率の問題や建築物の高さ制限との兼ね合いもあるため、実際にはこのとおりにはなりません。

建蔽率と同様、建築物の敷地が容積率の異なる複数の地域にまたがっている場合、それぞれの地域ごとの面積比に乗じて算出されます。

(2) 容積率制限と道路の関係

容積率は、建築基準法が定める範囲内でそれぞれの地域について都市計画によって定められていますが、**前面の道路の幅員**が**12**m未満である場合には、その幅員による制限が加わります。

前面道路の幅員が12m未満の場合には、原則として**住居系の用途地域**内では**10分の4**、**その他の用途地域**及び**用途地域の指定のない区域**では原則として**10分の6**を、前面道路の幅員にかけたものと、上記(1)の都市計画で定められた数値の**いずれか厳しいほう**となります。

用語解説 建築審査会…都道府県などに設置される行政機関で、建築許可についての同意や、不服申立てなどの審査請求に対して採決を行っています。建築行政の公平性・妥当性を確保するため、行政機関から独立した第三者的な行政機関となっています。

考えよう！

次の土地の容積率はいくらか。なお、特定行政庁の指定はないものとする。

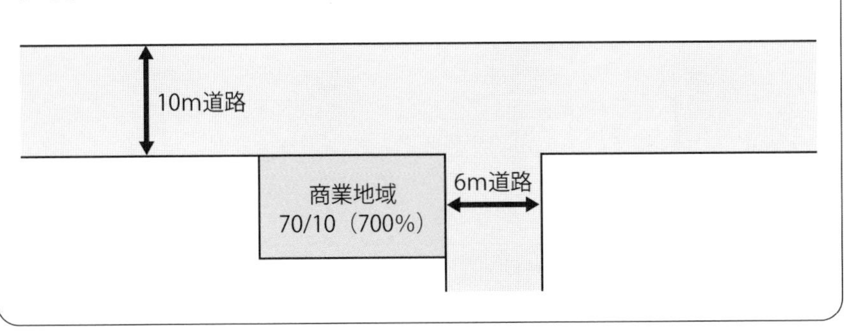

建物が複数の道路に面している場合、前面道路の幅員が広いほうが計算の対象となります。この場合、道路の幅員は10ｍで、特定行政庁の指定がないので、10分の6を乗じて計算します。

$$10\,\mathrm{m} \times \frac{6}{10} = \frac{60}{10}$$

一方で、都市計画で指定されている容積率は10分の70ということですから、$\frac{60}{10} < \frac{70}{10}$となり、厳しいほうの10分の60が容積率となります。

このテーマのまとめ

- 用途制限とは「この地域にはこの種の建物は建てられない」ことを定めたもの。
- 建物の建築面積の敷地面積に対する割合のことを建蔽率という。
- 建物の延べ面積の敷地面積に対する割合のことを容積率という。

話したくなる！　土地建物の利用・処分に対しては、本来は自由であるはずです。一方で、土地建物には公共性もあります。法律により規制を加えることによって、自由な財産権と土地建物の持つ公共性との調和が図られています。

Theme 6 防火・準防火地域及び高さの規制

建築基準法では防火地域や準防火地域の建物について、延焼を防ぐための規制が設けられています。また、建物には、日当たりや通風を確保するための規制があります。

火災を防ぐための規制や、快適さを確保するための高さの規制にどういったものがあるのか見てみましょう。

話したくなる! 防火地域や準防火地域内にある建物は様々な制約を受けます。たとえば防火地域内にある3階以上または延べ面積100㎡を超える建築物は、耐火建築物か延焼防止建築物にしなければなりません。

1 防火地域・準防火地域の規制

駅前の繁華街などの中心市街地はひとたび火災が発生すると延焼の危険性が高い地域です。こうした**防火地域**や**準防火地域**では、延焼を防止するため、建物の窓や出入口（**開口部**）に、**防火戸**やその他の**防火設備**を設けなければなりません。これらの防火設備や建物の壁や柱といった部分、さらに屋根についても、一定の基準が定められています。

2 建築物が防火地域または準防火地域の内外にわたる場合

建物が防火地域または準防火地域と、それ以外の地域にわたって建っている場合、その建物は防火地域または準防火地域の規定が適用されます。

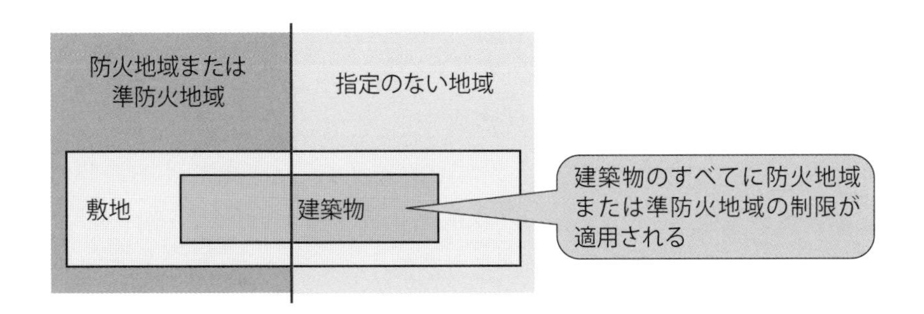

建築物が防火地域と準防火地域にわたって建っている場合、その建物は防火地域の規定が適用されます。

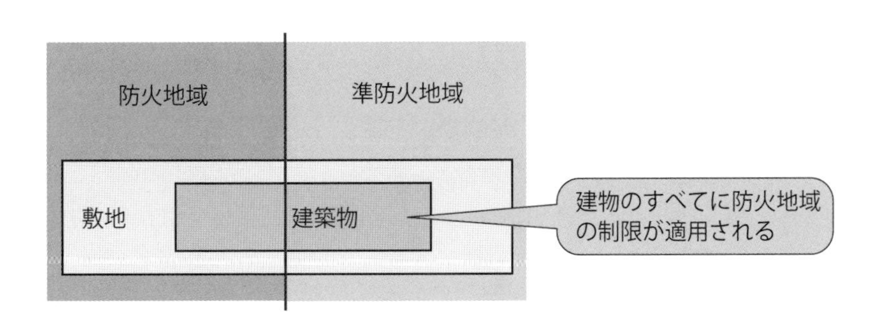

用語解説　防火設備…防火設備は、出入口や窓など、延焼の危険性が高い場所において炎の侵入を防止するための設備で、防火サッシや防火シャッターなどがあります。一定時間以上炎を侵入させない性能が求められます。

3 高さ制限

(1) 斜線制限

斜線制限は、通風や採光、そして日照を確保するために加えられる制限で、道路斜線制限、隣地斜線制限、北側斜線制限の３種類があります。

道路斜線制限は、建築物の道路側の上部空間を確保するという制限です。すべての用途地域内及び用途地域の指定のない地域でも適用されます。

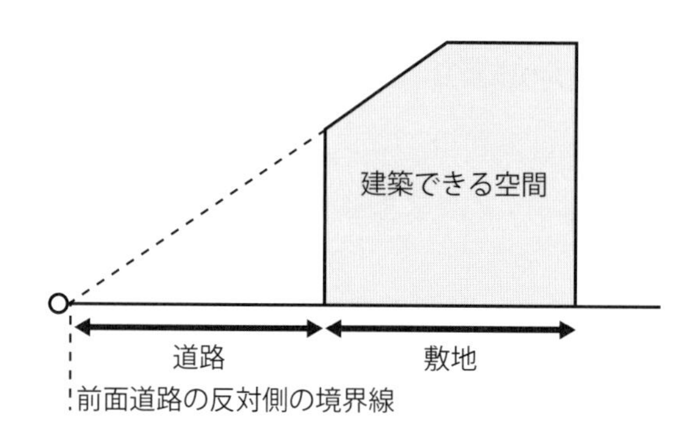

(2) 絶対高さ制限

第一種・第二種低層住居専用地域及び田園住居地域では、**建築物の高さの最高限度**は 10 mまたは 12 mと定められます。

ただし、敷地の周囲に広い公園や広場などの空地があり、許可を受けた場合には、高さ制限を超えて建築できます。

このテーマのまとめ

- 防火地域や準防火地域では、建物の窓や出入口（開口部）に、防火戸やその他の防火設備を設けなければならない。
- 第一種・第二種低層住居専用地域及び田園住居地域では、建築物の高さの最高限度は 10 mまたは 12 mとする絶対高さ制限がある。

話したくなる! 日影規制の日影は、1年のうちで影が最も長くなる冬至の真太陽時（太陽が真南にくる時刻）を基準に、午前8時から午後4時までの日影のことをいいます。地域によって真太陽時にずれがあるため、どの程度の時間制限にするかは地方公共団体が定めます。

Theme 7 国土利用計画法

国土利用計画法は、地価の高騰を抑制し、土地の投機的取引を監視するための法律です。一定の面積以上の土地取引について対価の額や土地利用目的に関する届出制を定めています。

大きな土地取引をチェックすることによって「土地ころがし」を防止し、土地利用を適切な方向に進めているのです。

話したくなる！　監視区域制度における事前届出制は、バブル期の地価高騰に対処するために創設されました。監視区域はピーク時の1993年時点では58都道府県・政令市の1,212市町村において指定されていましたが、その後緩和・解除がなされています。

1 届出の必要な土地取引

国土利用計画法は一定の面積以上の土地取引について届出制を定めています。届出が必要となる土地売買等の契約とは、**土地に関する権利**の**移転**または**設定**をする契約のことです。

土地に関する権利とは、土地に関する**所有権**、**地上権**及び**賃借権**と、これらの**権利の取得を目的とする権利**をいいます。

また、土地に関する権利の移転または設定は、対価を得て行われるものに限られます。

土地売買等の契約に該当するもの	土地売買等の契約に該当しないもの
売買契約	贈与契約
売買の予約	抵当権・不動産質権の設定・移転
交換	相続・遺贈・遺産の分割
予約完結権や買戻権(かいもどしけん)の有償譲渡	予約完結権や買戻権の行使
権利金の授受を伴う賃借権・地上権の設定	権利金の授受を伴わない賃借権・地上権の設定

届出を要する面積は、以下のとおりです。

市街化区域内の土地	2,000㎡以上
市街化区域外の都市計画区域内の土地	5,000㎡以上
都市計画区域外の区域の土地	10,000㎡以上

個々の土地売買等の契約は届出必要面積に満たない場合であっても、当事者の一方または双方が、届出必要面積以上の一団の土地について土地に関する権利の設定・移転を行う場合には、個々の契約について届出が必要

話したくなる! 1980年代のバブル期には、交通基盤の整備もあり、東京・大阪・京都・名古屋などの三大都市圏や、地方の中枢都市で、半年で10%を超える地価の上昇がありました。これによって庶民の土地の買取りが事実上不可能となっていました。

になります。

2 事後届出

上記面積に該当する土地売買等の契約を締結した場合には、当事者のうち**権利取得者**（買主）は、その**契約を締結した日**から起算して**2週間以内**に、一定の事項を当該土地が所在する**市町村の長**を**経由**して、**都道府県知事**に届け出なければなりません。

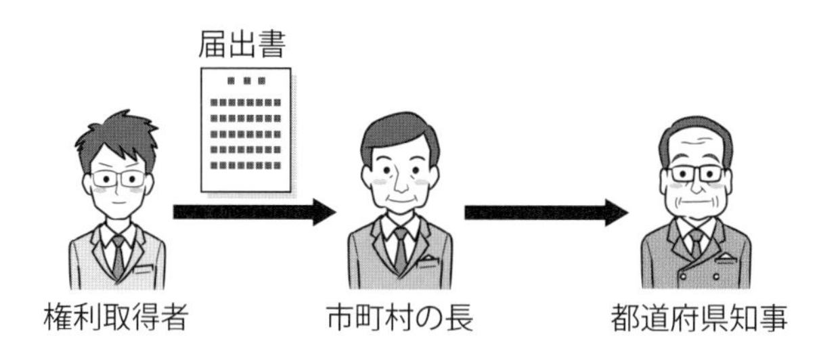

届出書に記載する一定の事項とは、契約当事者の名前、対価の額、契約年月日、土地の利用目的等です。

ただし、次の場合等には、届出が不要とされています。

①農地法３条の許可を受けることを要する場合
②当事者の一方または双方が、国または地方公共団体等である場合

なお、事後届出を怠ると、**6月以下の懲役または100万円以下の罰金**に処せられます。

事後届出があった土地の利用目的が、土地利用基本計画、その他の土地利用に関する計画に適合せず、周辺地域の適正かつ合理的な土地利用を図るために著しい支障があると認められるときは、土地利用審査会の意見を聴いて、都道府県知事より、届出人に対し、その**利用目的を変更するように勧告**される場合があります。この勧告は、原則として**届出の日から3**

用語解説　投機的取引…より多くのリターンを狙って、高いリスクのもと、短期間で利益を得ようとする行為のことです。企業が成長のために機械を購入するような「投資」とは異なり、ギャンブル的な性質が強いものをいいます。

週間以内になされます。そして、この勧告に従わないときには、都道府県知事はその旨及びその勧告の内容を公表することができます。

3 事前届出

注視区域または監視区域（用語解説参照）に指定されている区域内で、一定面積以上の土地について土地売買等の契約をしようとする場合には、**当事者**はあらかじめ一定の事項を当該土地が所在する**市町村の長**を**経由して、都道府県知事**に届け出なければなりません。

届出を要する土地の面積は、注視区域内では 206 ページのように定められています。監視区域については、都道府県知事が届出をすべき面積を規則で定めます。

届出書に記載する一定の事項とは、契約当事者の名前、予定対価の額や土地の利用目的等です。

ただし、次の場合等には、届出が不要とされています。

①農地法 3 条の許可を受けることを要する場合
②当事者の一方または双方が、国または地方公共団体等である場合

なお、事前届出を怠ると、**6 月以下の懲役または 100 万円以下の罰金**に処せられます。

事前届出があった土地の予定価格が著しく適正を欠いている場合や、利用目的が土地利用基本計画等に適合しない場合には、土地利用審査会の意見を聴いて、都道府県知事より届出人に対し、**契約締結の中止など必要な**

用語解説　注視区域…地価が一定の期間内に相当な程度を超えて上昇し、または上昇するおそれがあるとして国土交通大臣が定める基準に該当し、これによって土地利用の確保に支障を生ずるおそれがあると認められる区域。都道府県知事が指定します。

措置を講ずるよう勧告される場合があります。

この勧告は、原則として**届出の日から6週間以内**になされます。そして、この勧告に従わないときには、都道府県知事はその旨及びその勧告の内容を公表することができます。

過去問　**平成30年度　問15**

国土利用計画法第23条の届出（以下この問において「事後届出」という。）に関する次の記述のうち、正しいものはどれか。

1　事後届出に係る土地の利用目的について、甲県知事から勧告を受けた宅地建物取引業者Aがその勧告に従わないときは、甲県知事は、その旨及びその勧告の内容を公表することができる。

2　乙県が所有する都市計画区域内の土地（面積6,000㎡）を買い受けた者は、売買契約を締結した日から起算して2週間以内に、事後届出を行わなければならない。

正解は1です。選択肢2について、土地売買等の契約の当事者の一方または双方が国等である場合は、事後届出は不要です。

このテーマのまとめ

- 国土利用計画法は一定の面積以上の土地取引について届出制を定めている。
- 権利取得者は、その契約を締結した日から起算して2週間以内に、一定の事項を届け出なければならない。
- 届出を怠った場合には罰則が適用される。

用語解説　監視区域…地価が急激に上昇し、または上昇するおそれがあり、これによって適正かつ合理的な土地利用の確保が困難となるおそれがあると認められる区域。都道府県知事が指定します。

Theme 8

盛土規制法

宅地造成及び特定盛土等規制法（盛土規制法）は、がけ崩れや土砂の流出による災害を防止するために、宅地の造成に関する工事や盛土、土石の堆積などを規制するものです。

新たに住宅を建てるために盛土や切土を行う場合、どのような規制があるのでしょうか。

話したくなる! 宅地造成等規制法は、2021年に発生した静岡県熱海市の盛土の崩落による大規模な土石流災害をうけて「宅地造成及び特定盛土等規制法（盛土規制法）」として改正されました。

1 盛土規制法の定義

盛土規制法でいう**宅地**とは、①農地・採草放牧地及び森林、②道路・公園・河川その他の公共施設用地（国・地方公共団体が管理する運動場、墓地など）以外の土地をいいます。

宅地造成等工事規制区域内における**宅地造成工事**とは、次のような、宅地以外の土地を宅地にするために行う盛土その他の土地の形質の変更の工事をいいます。

①盛土をした部分に高さ1mを超えるがけを生ずるもの
②切土をした部分に高さ2mを超えるがけを生ずるもの
③盛土と切土の部分に高さ2mを超えるがけを生ずるときにおける当該盛土及び切土（①②を除く。）
④①③に該当しない盛土であって、高さ2mを超えるもの
⑤上記のいずれにも該当しない盛土または切土であって、盛土や切土をする土地の面積が500㎡を超えるもの

造成宅地とは、宅地造成または宅地において行う特定盛土等に関する工事が施行された宅地をいいます。

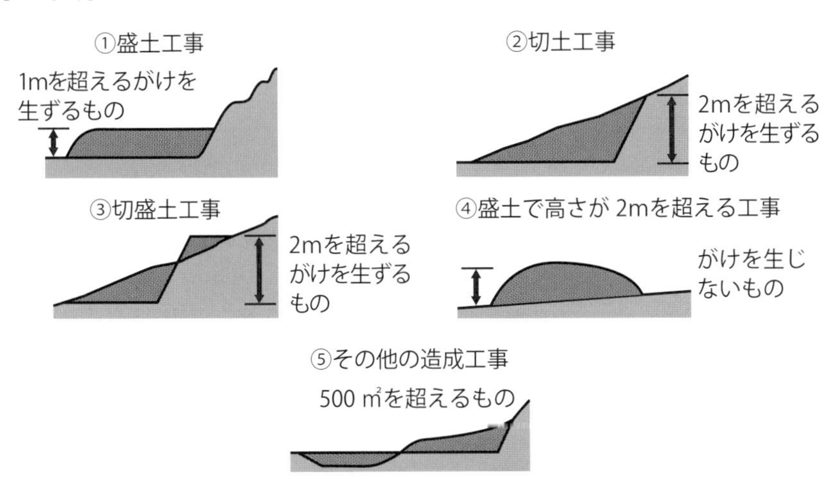

用語解説　特定盛土等…宅地または農地等において行う盛土その他の土地の形質の変更で、当該宅地または農地等に隣接し、または近接する宅地において災害を発生させるおそれが大きいものとして政令で定めるものをいいます。

2 宅地造成等工事規制区域

（1）宅地造成等工事規制区域の指定

都道府県知事は、基本方針に基づき、かつ、基礎調査の結果を踏まえ、宅地造成、特定盛土等または土石の堆積（宅地造成等）に伴い災害が生ずるおそれが大きい市街地もしくは市街地となろうとする土地の区域または集落の区域であって、宅地造成等に関する工事について規制を行う必要があるものを、**宅地造成等工事規制区域**として指定することができます。

（2）宅地造成等に関する工事の許可

宅地造成等工事規制区域内において行われる宅地造成等に関する工事については、宅地造成等に伴う災害の発生のおそれがないと認められる工事を除き、工事主は、工事着手前に、**都道府県知事の許可**を受けなければなりません。都道府県知事は、許可の際に、工事の施行に伴う災害を防止するため必要な条件を付することができます。

この場合、宅地造成等に関する工事の計画が、政令で定める技術的基準に従い、擁壁等の設置その他**宅地造成等に伴う災害を防止するため必要な措置**が講ぜられたものでなければなりません。

さらに、①高さが５ｍを超える擁壁の設置、②盛土または切土をする土地の面積が 1,500㎡を超える土地における排水施設の設置は、政令で定める資格を有する者の設計によらなければなりません。

宅地または農地等への転用は届出が必要！

宅地造成等工事規制区域内において、公共施設用地を宅地または農地等に転用した者は、その転用した日から 14日以内に、その旨を都道府県知事に届け出なければなりません。

（3）宅地造成等に関する工事の届出

宅地造成等工事規制区域が指定されたとき、すでにその区域内で宅地造成等に関する工事が行われている場合には、工事主は、指定の日から **21**

用語解説　擁壁…がけなど土の側面が崩れるのを防ぐために設ける、コンクリートや石積みでできた壁状の建造物のことです。

日以内に**都道府県知事**に届け出なければなりません。都道府県知事は、届出を受理したときは、速やかに、工事主の氏名または名称、宅地造成等に関する工事が施行される土地の所在地その他の事項を公表するとともに、関係市町村長に通知しなければなりません。

宅地造成等工事規制区域内の土地（公共施設用地は除きます。）で擁壁等に関する**工事**を行おうとする者は、**工事着手の 14 日前**までに、同様の届出をする必要があります。

過去問　令和２年度 12 月試験　問 19　改題

盛土規制法に関する次の記述のうち、誤っているものはどれか。

1　宅地造成等工事規制区域は、宅地造成等に伴い災害が生ずるおそれが大きい市街地又は市街地になろうとする土地の区域又は集落の区域であって、宅地造成等に関する工事につき規制を行う必要があるものについて、国土交通大臣が指定することができる。

2　宅地造成等工事規制区域内において宅地造成等に関する工事を行う場合、宅地造成等に伴う災害を防止するために行う高さが５ｍを超える擁壁の設置に係る工事については、政令で定める資格を有する者の設計によらなければならない。

選択肢１が**誤り**です。宅地造成等工事規制区域の指定をすることができるのは、国土交通大臣ではなく、**都道府県知事**です。

このテーマのまとめ

・宅地造成工事とは、宅地以外の土地を宅地にするために行う盛土その他の土地の形質の変更の工事をいう。

・都道府県知事は、宅地造成等工事規制区域内において行われる宅地造成等工事についての許可に、災害を防止するための必要な条件を付することができる。

話したくなる！　日本は多雨の国です。1時間あたり 20mm 以上の雨が降ると土砂災害のリスクは高まるとされていますが、全国の１時間あたり 50mm 以上の雨の年間発生回数は増加傾向にあります。ずさんな造成工事はがけ崩れなどを誘発するため、規制が必要なのです。

Theme 9 農地法（のうちほう）

農地法は、①農地を農地以外のものにすることを規制するとともに、②農地を効率的に利用しようとする人が、自由に農地を取得し農業に参入することができるよう定めているものです。

農地法では権利移動や転用についての出題がメインです。行為の内容と、許可や届出について覚えましょう。

用語解説　権利移動…農地の所有権を別の人に移したり、別の人が使えるよう権利を設定することなどをいいます。

1 農地・採草放牧地(さいそうほうぼくち)とは

農地とは、「**耕作の目的に供される土地**」のことをいい、**採草放牧地**とは、農地以外の土地で、主として**耕作**または**養畜**の事業のための**採草または家畜の放牧**の目的に供されるものをいいます。農地や採草放牧地に該当するかどうかは、客観的な土地の状態で判断します。登記簿上の地目とは関係ありません。また、**耕作放棄されていても農地には該当**します。

2 農地・採草放牧地の権利移動の制限（3条）

農地・採草放牧地の**所有権の移転**（売買・贈与など）、あるいは**使用収益権**（地上権・賃借権・使用貸借による権利など）を設定・移転する場合には、**農業委員会**の許可を受けなければなりません。

相続・遺産分割により権利を取得する場合は、許可は不要となりますが、農業委員会にはその旨を届け出なければなりません。

許可が必要であるにもかかわらず**許可を受けないで行った売買などの契約は無効**となります。

3 農地の転用の制限（4条）

農地を農地以外のものにする（**転用**）場合には、**都道府県知事**等の許可を受けなければなりません。

なお、**市街化区域内**にある農地を転用する場合には、あらかじめ農業委員会に届け出れば、許可を受ける必要はありません。

また、許可を受けずに行われた転用でも無効とはなりませんが、工事の中止や原状回復を命じられることがあります。

4 農地・採草放牧地の転用目的で行う権利移動の制限（5条）

農地を農地以外にするため、または採草放牧地を採草放牧地・農地以外

用語解説　農業委員会…農地等の利用の最適化（農業の担い手への農地利用の集積・集約化、遊休農地の発生防止・解消、新規参入の促進）の推進を中心に、農地に関する事務を行う行政委員会で、市町村に設置されています。

のものにするために、その所有権を**移転**したり、使用収益権を設定・移転したりする場合には、**都道府県知事**等の許可が必要になります。

なお、市街化区域内にある農地・採草放牧地の転用目的で権利を取得する場合には、あらかじめ農業委員会に届け出れば、許可を受ける必要はありません。

許可を受けずに行われた転用を目的とする売買などの契約は無効となります。また、工事の中止や原状回復を命じられることがあります。

過去問　平成30年度　問22

農地法（以下この問において「法」という。）に関する次の記述のうち、正しいものはどれか。

1　市街化区域内の農地を宅地とする目的で権利を取得する場合は、あらかじめ農業委員会に届出をすれば法第5条の許可は不要である。

2　遺産分割により農地を取得することとなった場合、法第3条第1項の許可を受ける必要がある。

正しいのは選択肢1です。選択肢2の許可は必要ありません。

農地⇔採草放牧地で転用の許可は異なる

農地を採草放牧地に転用するための権利移動は5条許可となります。他方、採草放牧地を農地に転用するための権利移動は3条許可となることに注意しましょう。

5　農地・採草放牧地を賃貸借する場合の注意点

農地・採草放牧地を賃貸借する場合の注意点は次のとおりです。

①農地または採草放牧地の賃貸借は、登記がなくても、農地または採草放牧地の引渡しをもって第三者に対抗できる。

話したくなる!　国や都道府県等（都道府県または指定市町村をいう）が、許可が必要な転用目的の権利取得をする場合、国、都道府県等と都道府県知事等との協議が成立すれば、許可があったものとみなされます。

②賃貸借について期間の定めがある場合、その当事者が、その期間の満了の１年前から６か月前までの間に、相手方に対して更新をしない旨の通知をしないときは、従前の賃貸借と同一の条件でさらに賃貸借をしたものとみなされる。
③農地または採草放牧地の賃貸借の当事者は、都道府県知事の許可を受けなければ、原則として賃貸借の解除・解約の申入れ・合意による解約または賃貸借の更新をしない旨の通知をしてはいけない。

農地法３条・４条・５条の関係

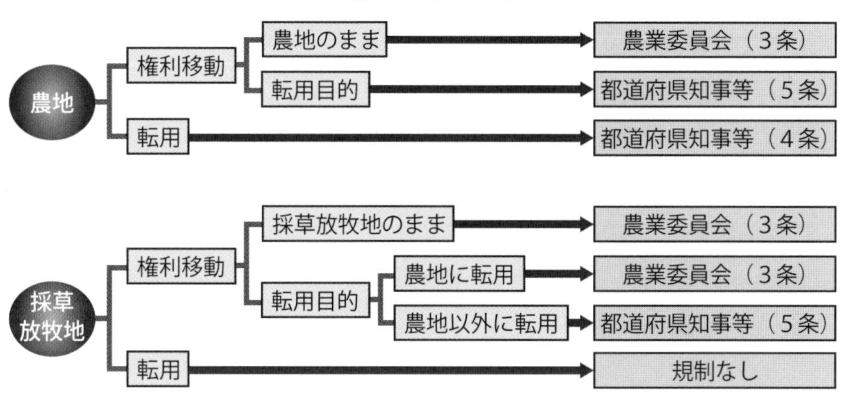

このテーマのまとめ

・農地・採草放牧地の権利移動をする場合は、農業委員会の許可を受けなければならない。
・農地を農地以外のものに転用する場合には、都道府県知事等の許可を受けなければならない。
・農地・採草放牧地を転用目的で権利移動する場合には、都道府県知事等の許可を受けなければならない。

用語解説　採草放牧地…牛馬の生育のために、冬場の飼料となる草を採るための場所を「採草地」、牛馬を自然に近い状態で飼育する場所のことを「放牧地」といいます。

Theme 10 土地区画整理法

土地区画整理法は、土地区画整理事業に関し、その施行者、施行方法、費用の負担等必要な事項を規定することで、健全な市街地の造成を図るものです。

土地区画整理事業を行うと、狭い道路が広くなり、整っていない土地が整備されます。

用語解説 保留地…土地区画整理事業を実施する事業主体が取得し、売却することができる宅地のことで、多くの場合、事業資金の一部にするために売却します。

1 土地区画整理法の意義

土地区画整理事業とは、都市計画区域内の土地について、道路、公園、広場、水路等の公共施設の整備改善及び宅地の利用の増進を図るために行われる、土地の**区画形質の変更**及び**公共施設の新設**または**変更**に関する事業をいいます。

土地区画整理事業が施行されるのは、都市計画区域内だけです。

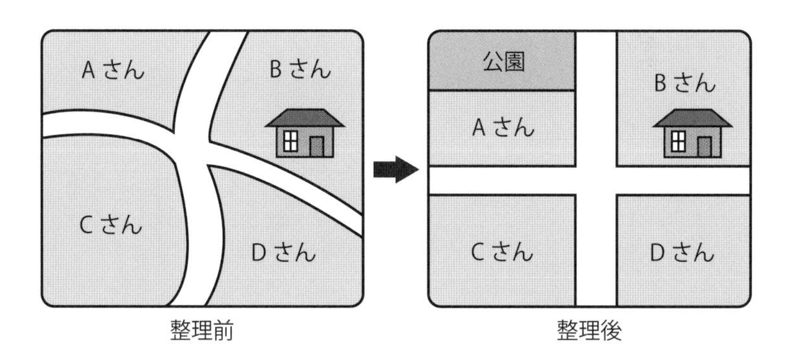

土地区画整理事業は、**減歩**（げんぶ）と**換地**（かんち）の手法により行われます。**減歩**とは、施行区域内の土地の所有者から無償で一定割合の土地の提供を受けて、これを公共施設用地にあてたり、また、保留地にあてたりして事業の費用に充当することをいいます。**換地**とは、権利の客体である土地を変更すること、すなわち、ある所有者の宅地を別の場所に移すことをいいます。

土地区画整理事業の施行者は次のとおりです。

公的施行は、すべて都市計画事業として施行されます。

話したくなる! 土地区画整理事業の事業資金は、保留地処分金のほかに、公共団体側から支出される都市計画道路や公共施設等の整備費に相当する資金から構成されます。これらの資金を財源に、公共施設の工事、宅地の整地、家屋の移転補償等が行われます。

民間施行	①個人
	②土地区画整理組合
	③区画整理会社
公的施行	④都道府県や市町村の地方公共団体
	⑤国土交通大臣
	⑥独立行政法人都市再生機構・地方住宅供給公社

2 手続の流れ

換地計画の決定	――――――

↓

都道府県知事の認可	（施行者が個人、組合、会社、市町村、地方公社の場合）

↓

計画区域全部の工事完了	――――――

↓

換地処分	（関係権利者への通知）

↓

都道府県知事への届出	（施行者が個人、組合、会社、市町村、地方公社の場合）

↓

換地処分の公告	（国土交通大臣または都道府県知事）

↓公告の翌日

換地処分の効果	――――――

用語解説 土地区画整理組合…土地区画整理事業の施行される区域内の宅地所有者または借地権者７名以上で構成され、都道府県知事の認可が必要となる組合のことです。区画整理の事業計画や換地計画などは組合の総会で決定されます。

（1）換地計画

施行者は、施行地区内の宅地について、換地処分を行うための換地計画を定めなければなりません。

換地を定めないこともできる

宅地の所有者の申出または同意があった場合には、換地計画で、その宅地について換地を定めないこともできます。この場合には、清算金で清算することになります。

（2）換地処分

換地処分は、換地計画にかかる区域の全部について土地区画整理事業の工事が完了した後、遅滞なく、関係権利者に対して必要事項を通知することによって行われます。

3 仮換地（かりかんち）

土地区画整理事業が完了するまでには時間を要するので、それまでの間、土地所有者に代わりの土地を割り当てて使用収益させることが行われます。この場合の割り当てられた土地のことを、**仮換地**といいます。仮換地は通常、換地となるべき土地が指定されます。

このテーマのまとめ

- 都市計画区域内の土地の区画形質の変更及び公共施設の新設または変更に関する事業を土地区画整理事業という。
- 土地区画整理事業は、減歩と換地の手法により行われる。
- 土地区画整理事業の工事が完了するまでの間、土地所有者に仮換地を割り当てて使用収益させることが行われる。

話したくなる！　公共団体の土地区画整理事業は、公共施設の整備改善だけでなく、多種多様です。公共性の高い事業であるため、換地計画などの重要事項については、権利者の代表等で構成される土地区画整理審議会で審議されます。

Theme 11 履行確保法の出題箇所は、ほぼ限られている！

毎年問45で出題されている「履行確保法」の問題は、ほぼ出題箇所が限られているので、得点源にできる問題です。ここで紹介する話はすべて押さえておいて、損はありません！

毎年、問45で1問分が出題される「履行確保法」は、出題箇所がかなり限られており、ここで紹介する知識のみで正解できる可能性も大です！

用語解説　履行確保法…正式名称を「特定住宅瑕疵担保責任の履行の確保等に関する法律」といいます。簡単に言えば、建物に瑕疵（欠陥）があって、宅建業者等に責任追及しようとする場合、その宅建業者等の責任の「履行」を「確保」しておくための法律です。

1 宅建業者の責任の「履行」を「確保」する法律！

履行確保法は、**住宅品質確保法が規定する「新築住宅」**に関する**10年間の瑕疵**（かし）**担保責任**の**「履行」を「確保」**するために制定されました。

新築住宅の建築請負人･販売業者が、新築住宅を消費者に**引き渡す**際に、供給した新築住宅の補修等に必要な支払いを確保できるようにする資力確保措置が定められています。

2 保護の対象は、「新築住宅」の瑕疵（欠陥）が前提！

履行確保法で保護される対象について、建物の瑕疵（欠陥）であれば、何でもかんでも対象となるわけではありません。まず、「**新築住宅**」であること、そして、その**建物の「構造耐力上主要な部分」と「雨水の浸入を防止する部分」の瑕疵（欠陥）**に関する業者等の責任について、保護されることになります。

木造の戸建て住宅（二階建ての場合の骨組み等の構成）

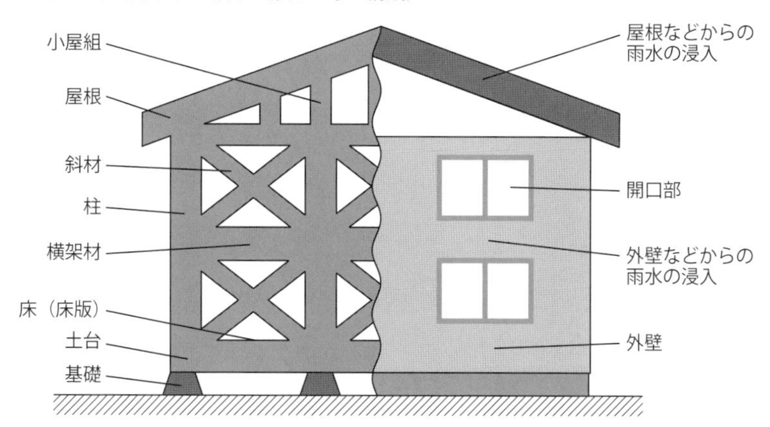

話したくなる！ 履行確保法は、平成22年度の試験から試験範囲に追加され、宅建士試験としては最も新しく試験範囲に含まれた法律です。1問分しか出ないので、捨て問にする受験生もいるかもしれませんが、覚える知識は少ないので、むしろ確実に正解したい法律です。

3 履行の確保方法は、２種類ある！

履行確保法は、（住宅品質確保法で）**業者等に発生した責任の履行を確実**にするための法律ですが、**どのように確実にするのでしょうか。**

これは簡単な話で、**業者等が資力を供託**するか、**保険に入っておく**ことになり、これが**「資力確保措置」**となります。なお、この資力確保措置については重要事項説明の説明事項及び37条書面の任意的記載事項となります。

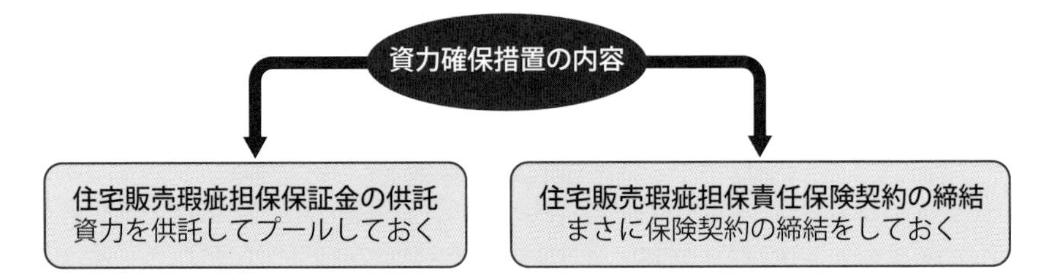

4 出題部分は、ほぼ４か所に集中しています！

履行確保法の前提知識の確認が終わったところで、押さえておきたい内容を紹介しましょう。結論としては、過去問題を見る限り、**出題箇所は次の４つに集中**しています。つまり、**この４つの箇所を押さえていれば、履行確保法の問題を正解できる可能性がグッと上がります。**

（1）履行確保法は、一般人の買主を保護するための法律である

履行確保法は、**宅建業者が「自ら売主」となる場合のみ**適用されます。

この法律は住宅について高度な知識がないであろう、**一般人たる買主の保護**を目的としています。つまり、**買主が住宅のプロ**である場合、具体的には、**新築住宅の「買主」が「宅建業者」である場合には、適用**されませんし、**宅建業者が「代理」「媒介」をする場合にも、適用**されないのです。

話したくなる！ 構造耐力上主要な部分に欠陥があると、たとえば基礎や柱の不具合で家が傾いてしまうということがあります。

(2) 面積が小さい住宅については、「2戸で1戸」とする

住宅販売瑕疵担保保証金を供託する場合の**新築住宅の戸数の算定方法**について、その**住宅の床面積が 55㎡以下の場合**は、**住宅 2 戸をもって 1 戸**と数えます。これは、多数の住宅を販売する業者の負担も考慮した規定と考えればよいでしょう。

(3) 業者には、資力確保措置の説明義務がある

履行確保法において、このような規定があること自体、一般人たる買主は知りません。そこで、**宅建業者には、これら資力確保措置について、買主に対する説明義務**があります。**この説明を行うタイミングは、売買契約の締結まで**です。

そして、人にもよりますが、通常、一般人の買主は、これら法律の話をすぐに理解できるわけではないので、**わかりやすく説明するため、この説明については、書面の交付が必要となります**。ただし、買主の承諾を得たうえで電磁的方法により提供することもできます。

(4) 資力確保措置が行われているかのチェックもある！

履行確保法によって、宅建業者への資力確保措置が義務付けられたとしても、それが実際に行われていないようでは、やはり意味はありません。そこで、資力確保措置がしっかり行われているかのチェックもあります。

具体的には、**宅建業者は、基準日**（毎年 3 月 31 日）**から3週間以内**に、**資力確保措置の状況について、免許権者への届出が必要となります。**

もしこの**届出をしない**場合、宅建業者は、その**基準日の翌日から起算して 50 日経過日以後、自ら売主となる新たな売買契約ができなくなります。**

用語解説　住宅販売瑕疵担保責任保険契約…宅建業者が瑕疵担保責任を履行した場合に生じる損害の補填や、瑕疵担保責任が生じたにもかかわらず、宅建業者が履行しない場合に行う損害の補填を目的とする保険契約です。保険料は宅建業者が負担します。

過去問 **令和2年度10月試験　問45**

宅地建物取引業者A（甲県知事免許）が、自ら売主として宅地建物取引業者ではない買主Bに新築住宅を販売する場合における次の記述のうち、特定住宅瑕疵担保責任の履行の確保等に関する法律の規定によれば、正しいものはどれか。

3　新築住宅をBに引き渡したAは、基準日ごとに基準日から50日以内に、当該基準日に係る住宅販売瑕疵担保保証金の供託及び住宅販売瑕疵担保責任保険契約の締結の状況について、甲県知事に届け出なければならない。

選択肢3は**誤り**です。新築住宅の売主である宅建業者が当該新築住宅を買主に引き渡した場合、**基準日から3週間以内**に、当該基準日にかかる住宅販売瑕疵担保保証金の供託及び住宅販売瑕疵担保責任保険契約の締結の状況について、免許権者に届け出なければいけません。

このテーマのまとめ

- 履行確保法は、宅建業者の責任の「履行」を「確保」する法律！
- 履行確保法の対象は、「新築住宅」の「構造耐力上主要な部分」と「雨水の浸入を防止する部分」の瑕疵（欠陥）となる！
- 資力確保措置は「住宅販売瑕疵担保保証金の供託」か「住宅販売瑕疵担保責任保険契約の締結」の2つある！
- 履行確保法の出題箇所は、ほぼ4か所に限られる！

話したくなる！ 住宅販売瑕疵担保責任保険の保険期間は、買主が引渡しを受けた時から10年以上とし、保険金額は2,000万円以上とします。

第4章

機構法、景表法、統計、土地建物の知識

Theme 1 業務内容を押さえて、機構法を攻略しよう！

毎年問46で出題されている独立行政法人住宅金融支援機構（以下「機構」とする）の問題は、機構の業務内容が出題の中心です。コツコツと押さえておくことで、正解率が上がります。

毎年、問46で1問分が出題される「機構法」も、少しわかりにくい部分はありますが、出題箇所が限られている科目です。内容に入りましょう。

用語解説　独立行政法人住宅金融支援機構法（機構法）…住宅金融公庫法に代わって、2007年より施行された法律です。免除対象科目なので、登録講習を受講すれば、受験や勉強をする必要がなくなるため、苦手意識がある人は登録講習を検討するのも手です。

1 業務内容を押さえることが、正解への近道！

機構に関する問題については、**機構の業務内容**の出題が多くなっています。そこで、まずは**コツコツと機構の業務内容を押さえる**ことが、問46を正解する近道です。機構の業務の詳細は、機構法13条等が次のように定めており、最終的にはこれらを覚えましょう。まずは紹介します。

機構の業務内容

業務の種類	内　容
(1) 金融機関が行う住宅資金貸付けの支援に関する業務（いわゆる証券化支援業務。貸付債権の譲受けと保証）	①住宅の**建設もしくは購入または所定の改良に必要な資金の貸付け**にかかる**金融機関の貸付債権の譲受け**。 ➡**建設・購入に付随する土地、借地権の取得、改良に必要な資金の貸付債権**についても、**譲受けの対象となる**。 ➡**賃貸住宅の建設または購入に必要な資金の貸付債権の譲受け**は**含まれない**。 ➡**住宅の改良資金の貸付債権の譲受け**は**含まれない**。 上記“付随する”話とは区別しよう。 ②上記貸付債権を担保とする債券その他の有価証券にかかる債務の保証（特定債務保証）。
(2) 融資保険に関する業務	③**住宅融資保険法**による**保険**を行うこと。 ④貸付けを受けた者とあらかじめ契約を締結して、死亡した場合（重度障害となった場合も含む）に支払われる生命保険金を当該貸付けにかかる債務の弁済に充当すること（団体信用生命保険）。
(3) 情報提供・相談等の援助業務	⑤住宅の建設、購入、改良や移転をしようとする者または住宅の建設等に関する事業を行う者に対する、**資金の調達**または**良質な住宅の設計**もしくは**建設等に関する情報の提供、相談その他の援助**。

（次ページへ続く）

用語解説 住宅金融支援機構…住宅金融市場における資金供給を支援して、住生活向上への貢献をめざす独立行政法人です。要するに、様々な金融サービスを通じて、資金援助等を行い、国民の住生活の向上に貢献しようとする機関です。

(4) 特定の融資業務（資金の貸付業務）	⑥災害復興建築物の建設や購入または被災建築物の補修資金の貸付け。 ⑦災害予防代替建築物の建設もしくは購入、災害予防移転建築物の移転に必要な資金、**災害予防関連工事に必要な資金**または**地震に対する安全性の向上**を主たる目的とする住宅の**改良資金の貸付け**。 ⑧**合理的土地利用建築物の建設**もしくは合理的土地利用建築物で人の居住の用その他その本来の用途に供したことのないものの**購入資金**または**マンションの共用部分の改良資金の貸付け**。 ⑨**子どもを育成**する家庭や**高齢者の家庭**に適した**良好な居住性能及び居住環境**を有する**賃貸住宅**や賃貸の用に供する住宅部分が大部分を占める建築物の**建設資金**または当該**賃貸住宅の改良資金の貸付け**。 ⑩**高齢者**の**家庭**に適した**良好な居住性能及び居住環境**を有する住宅とすることを主目的とする**住宅改良資金**（高齢者が自ら居住する住宅について行うものに限る）またはサービス付き**高齢者向け賃貸住宅**とすることを主目的とする人の居住の用に供したことのある**住宅購入資金の貸付け**。

とにかくコツコツが攻略の糸口！
表を見てウンザリした受験生もいるかもしれません。しかし、機構に関する問題は、上記表の内容が頻繁に出題されます。とにかくコツコツと知識を積み上げましょう。

2 「証券化支援業務」（フラット35）とは?

機構法に苦手意識を持つ受験生は、機構法特有の難しそうな用語になじめないことがあると思います。そこで、まずは前ページの表（1）の**「証券化支援業務」**について解説しておきましょう。

用語解説 貸付けと融資…念のためですが「貸付け」とは、物やお金を貸す行為です。「融資」とは、お金を必要とする者にお金を貸したり、資金を融通することです。一般的なイメージとしては、金利を付けて貸す行為ですが、贈与することも融通です。

証券化支援業務とは、**一般の金融機関が長期・固定金利の住宅ローンを提供**することに対して、**機構が支援**する業務です。一般の金融機関が安心して住宅ローンを提供できるようにすれば、結果、国民の住生活が豊かになる…という考えです。

どのように支援するのかを簡単に説明すると、一般の金融機関が顧客に融資（長期・固定金利の住宅ローン、フラット35という）をすると、その金融機関は顧客に対して債権を取得します。金融機関は、本当にその債権を回収できるのか不安がありますが、機構がその債権を譲り受け（買い取り）ます。この時点で一般の金融機関は、債権の回収ができるので、安心して融資ができます。

一方、**機構はその債権の買取代金をどのように回収**するかというと、**その債権を担保**にして、**証券（MBSという）を発行し、投資家に販売**するのです。

フラット35の仕組み

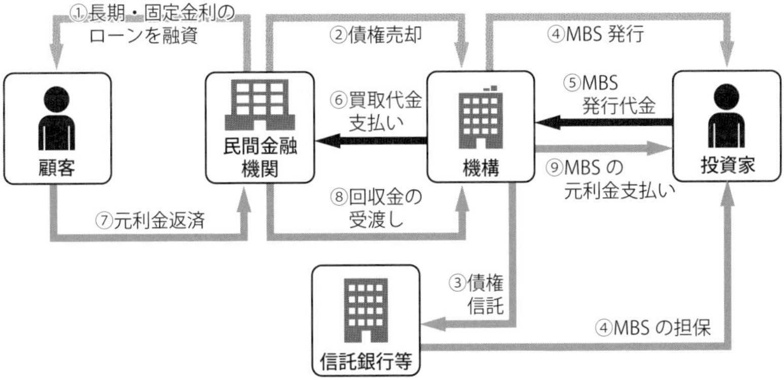

顧客
民間金融機関
機構
投資家
信託銀行等
①長期・固定金利のローンを融資
②債権売却
③債権信託
④MBS発行
④MBSの担保
⑤MBS発行代金
⑥買取代金支払い
⑦元利金返済
⑧回収金の受渡し
⑨MBSの元利金支払い

結論として、229～230ページの表を覚えておけば、問題が解ける確率は上がります。さらに、このような仕組みを知っておくことで、表が覚えやすくなるのではないでしょうか。

話したくなる!　これが話したくなる内容かは別として、上記の「証券化支援業務」の内容は、覚えていなくても問題が解けます。ただし、229ページの表（1）の内容を覚えるうえで、簡単なイメージだけでも持っているほうが、覚えやすくなるはずです。

3 「保険」や「貸付け」自体も行います！

そして、229～230ページの表（2）～（4）にあるとおり、機構は自ら「保険」を行ったり、また、「貸付け」自体も行います。

まず、**表（2）の融資保険業務**ですが、**機構が金融機関等の住宅ローンについて保険を行う（引き受ける）**ことで、金融機関等が住宅ローンを提供しやすくなります。そのまま覚えておけば大丈夫でしょう。

次に、**表（3）の相談等業務**について、理解に苦しむところはないでしょう。記述のとおりで、**住宅の購入等を考えている人**に対して、**資金調達方法等の情報を提供**したり、**相談にのる**業務です。

そして、**表（4）の特定の融資業務**ですが、**機構が直接的に融資業務を行う**こともあります。**表（4）にあるもの**について、**機構は直接、融資を行うことができる**ということです。ここもよく出題されるので、コツコツと覚えましょう。

特に、民間の金融機関だけでは対応しきれない災害に関連する融資などをイメージすると、理解しやすいのではないでしょうか。

たとえば、⑥の「**災害復興建築物の建設や購入**または被災建築物の**補修資金の貸付け**」を見ると、難しく感じるかもしれませんが、災害で家をなくしたり破壊された人が、新しい家を建設したり、購入しようとする場合、また、家を補修する場合に融資を行えるということです。

具体的な場面をイメージしながら！

試験では、基本的には、法律の規定どおりの言葉（表中の表現）で出題されます。とっつきにくい表現もありますが、具体的な場面をイメージしながら、覚えましょう。

話したくなる！ 前ページの「話したくなる！」の内容と関連しますが、宅建士試験の参考書を読んでいて、その内容が頭に入ってこない箇所は、そこで使われている「用語」がわからないケースが多いのではないでしょうか。まず使われている「用語」を理解することが重要です。

4　表を覚えたら、過去問を確認してみよう！

一度は、229〜230ページの表を覚える努力をしてみてください。そのうえで、実際の問題を見て、解けるのかを確認してみましょう。では、次の問題を見てください。

過去問　平成30年度　問46

独立行政法人住宅金融支援機構（以下この問において「機構」という。）に関する次の記述のうち、誤っているものはどれか。

1　機構は、住宅の建設又は購入に必要な資金の貸付けに係る金融機関の貸付債権の譲受けを業務として行っているが、当該住宅の建設又は購入に付随する土地又は借地権の取得に必要な資金の貸付けに係る金融機関の貸付債権については、譲受けの対象としていない。
2　機構は、金融機関による住宅資金の供給を支援するため、金融機関が貸し付けた住宅ローンについて、住宅融資保険を引き受けている。
3　機構は、証券化支援事業（買取型）において、MBS（資産担保証券）を発行することにより、債券市場（投資家）から資金を調達している。
4　機構は、高齢者の家庭に適した良好な居住性能及び居住環境を有する住宅とすることを主たる目的とする住宅の改良（高齢者が自ら居住する住宅について行うものに限る。）に必要な資金の貸付けを業務として行っている。

先に結論をいってしまうと、本問の選択肢で誤りとなるのは選択肢1です。**選択肢1**については、229ページの表（1）の①にあるとおり、機構は、住宅の**建設もしくは購入または所定の改良に必要な資金の貸付けにかかる金融機関の貸付債権の譲受け**を業務として行います。

そして、当該住宅の**建設等に付随する土地または借地権の取得に必要な資金の貸付け**にかかる**金融機関の貸付債権**についても、**譲受けの対象としている**のです。

次に、**選択肢2**については、前ページで述べたとおり、**機構は金融機**

用語解説　MBS（資産担保証券）…Mortgage Backed Securitiesの略で、「モーゲージ証券（モーゲージバック証券）」とも呼ばれます。ここまで覚える必要はないので、231ページの本文の解説では、省略した形で記載しています。

第4章　業務内容を押さえて、機構法を攻略しよう！

関等の住宅ローンについて保険を行う(引き受ける)ので、**正しい**内容です。
　そして、**選択肢３**についても**正しい**です。機構は、証券化支援事業において、一般の金融機関から貸付債権を譲り受けます（購入します）。そして、その購入代金については、その債権を担保にして、MBS（資産担保証券）を発行することで、債券市場（投資家）から資金を調達するのです。

証券化支援業務の「買取型」と「保証型」
選択肢３の問題文にある「買取型」という言葉が気になった読者もいるでしょう。証券化支援業務には「買取型」と「保証型」がありますが、試験対策上は、気にする必要がありません。ひらたく言えば、証券化等の作業を機構自身が行うのか、機構からの受託金融機関が行うかの違いです。

　最後の、**選択肢４**についても、230ページの表(4)の⑩にあるとおりで、**正しい**です。このように機構の問題は、機構が行う業務内容が主に問われます。これで機構法のすべてを解説したわけではありませんが、これを１つの取っ掛かりにして、学習を進めてみてください。

このテーマのまとめ

- 機構法は、その業務内容を押さえることで攻略可能性が大きくなる！
- 機構の業務内容は、(1) 証券化支援業務、(2) 融資保険業務、(3) 情報提供・相談業務、(4) 貸付業務、の４点！
- 「証券化支援業務」（フラット35）とは、一般の金融機関の顧客への融資債権を譲り受けて、それを担保に証券を発行し、資金を回収する業務である。

話したくなる! 機構の業務のうち「資金の貸付業務」は、機構が一般の人に直接貸付業務を行います。試験対策としては災害対応、子育て家庭向け、高齢者向け、という点を押さえておきましょう。

Theme 2

景表法（公正競争規約）は、他の学習を終えてから!?

毎年問47で出題されている「景表法（公正競争規約）」の問題は、公正競争規約施行規則の条文からまんべんなく出題されています。覚える量が多く、学習を後回しにする手はあります。

上で述べたように、「景表法（公正競争規約）」の学習は後回しにする手もアリです。それはどういうことか述べていきましょう。

用語解説　不当景品類及び不当表示防止法（景表法）…各企業は利益を上げるために、広告等において提供する商品等を魅力的に感じるようにしたり、景品を付けたりします。それが行き過ぎたものにならないよう制限するための法律です。

1 実質的には「公正競争規約施行規則」が出題される！

毎年、問 47 では冒頭の設問文において**「不当景品類及び不当表示防止法（不動産の表示に関する公正競争規約を含む。）の規定によれば」**、正しいものはどれか、という形で出題されます。

そもそも景表法とは、ざっくりと言えば、**行き過ぎた広告や景品につられて購入した消費者が、こんな商品だったのなら買わなかったのに**…と思うことのないようにするための法律です。「不当景表法」とも略されます。

不動産取引に限った話ではなく、消費者が商品等を購入する判断材料が広告であることは普通です。もしその広告にウソや行き過ぎた表現がある場合、特に不動産取引は額が大きく、消費者の損害も大きくなる可能性があります。そこで、**不動産取引における広告等**については、**景表法により不当な景品や表示が規制**されています。

そして、不動産取引に関する広告等について、**より細かく規制**をしているのが**「不動産の表示に関する公正競争規約」**であり、さらに**より細部にまで規制**を及ぼしているのが**「不動産の表示に関する公正競争規約施行規則」（公正競争規約施行規則）**です。

そして、**問 47 は、かなりの部分が「公正競争規約施行規則」の規定から出題**されています。なので、**本問を得点する最短ルートは「公正競争規約施行規則」を学習**することです。

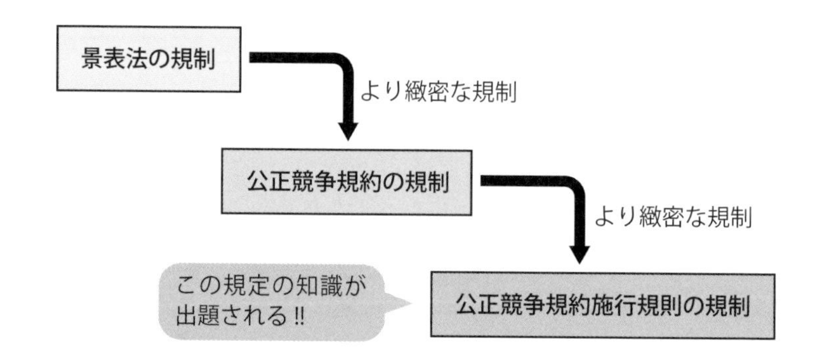

用語解説 不動産の表示に関する公正競争規約…簡単に言えば、不動産の広告に関する不動産業界のルールで、公正取引委員会により正式に認定されたものです。不動産の広告に関する詳細な規制として、不動産取引上、遵守されています。

2 条文数が多く、出題はまんべんなく…

問 47 がほぼ「公正競争規約施行規則」から出題されるのであれば、この規則の知識が頭に入っていれば、ほぼ正解できます。しかも、**出題の元となる条文**は、その多くが**同規則の 7 条と 9 条**です。

しかし、**同規則 7 条には（1）～（16）までの 16 もの規定**があり、**同規則 9 条には（1）～（46）までの 46 もの規定**があります。しかも、過去問を見る限り、**これらの規定からまんべんなく出題**されており、228 ページから解説した機構法以上に、コツコツと学習する根気が必要となるのです。

過去の出題と同内容の出題が少ない！

“ない”わけではありませんが、公正競争規約施行規則については、まんべんなく出題されており（しかも毎年 1 問分なので）、他の法令で見られるような、過去の選択肢とほぼ同じような選択肢があまり出題されていません。

そして、景表法（公正競争規約）からの出題が毎年 1 問分であることも考えると、**最短ルートでの合格**をめざす場合、**まずは他の法律の学習をしっかり終えて、時間が余れば、加点をめざして、公正競争規約施行規則を学習**するという作戦もアリといえるでしょう。

ただし、出題内容自体は、さほど難しくはありません。公正競争規約施行規則の学習が苦にならない人は、率先して学習してかまいませんが、その場合でも、出題量の多い民法や宅建業法の学習は、おろそかにならないようにしてください。

「まんべんなく」の逆をとれば…

しかし、冷静に考えますと、**過去を通じて「まんべんなく」出題される（＝出題が被らない）**ということは、**過去に出題されていない条文**を洗い出せば、出題予想ができるかもしれません。やってみましょっ！

用語解説　不動産の表示に関する公正競争規約施行規則…不動産の表示に関する公正競争規約で定めているルールに関して、より詳細なルールを定めているものです。宅建士試験では、この施行規則からの出題がメインとなっています。

3 出題パターンの確認から

公正競争規約施行規則の内容に入りましょう。出題予想を紹介する前に、どのような内容が、どのような形で出題されるかのパターンを確認しておきます。

まず、不動産取引において同規則が何を定めているのかといえば、代表例は、「○○の場合、△△を明示しなさい」という内容です。

たとえば、**同規則7条（7）**では、「**土地取引において、当該土地上に古家、廃屋等が存在**するときは、**その旨を明示**すること。」という規定があります。これは、このままの規定であり、土地売買において、その土地上に廃屋等がある場合、取引相手にその存在を伝えなければいけませんよ、という話です。これが本試験では、次のように問われます。

過去問　平成30年度　問47

宅地建物取引業者が行う広告に関する次の記述のうち、不当景品類及び不当表示防止法（不動産の表示に関する公正競争規約を含む。）の規定によれば、正しいものはどれか。

2　土地上に古家が存在する場合に、当該古家が、住宅として使用することが可能な状態と認められる場合であっても、古家がある旨を表示すれば、売地と表示して販売しても不当表示に問われることはない。

この選択肢2は**正しい**です。そして、本問は「正しいもの」を選ぶ問題なので、そのまま**正解**となります。

上記のとおり、公正競争規約施行規則7条（7）は、「**土地取引において、当該土地上に古家、廃屋等が存在**するときは、**その旨を明示**すること。」と規定しています。土地上に古家が存在する場合、「古家があるよ」と明示すれば**よい**のです。

他方、その古家が住めるものである場合、住宅があると考え、「売地」と表示できないという規定は**ありません**。

話したくなる！　上記の問題を見ればわかるとおり、公正競争規約施行規則の知識が比較的ストレートに出題されるのが、景表法（公正競争規約）の問題の特徴でもあります。割と細かい知識であることを除けば、難しい内容でもないので、得意科目とする受験生もいます。

4 令和７年度試験での出題予想は、これだ！

公正競争規約と同施行規則は2022年に改正されたため、他の科目と同様、改正点が出題されやすいといえます。

公正競争規約からの出題予想

- 「建物」とは、土地に定着し、屋根及び周壁を有する工作物であって、主として居住の用に供されるものをいい、**賃貸マンション**、**賃貸アパートその他の貸室等建物の一部を含む**ものとする。
- 予告広告とは、**販売区画数もしくは販売戸数が２以上**の分譲宅地、新築分譲住宅、新築分譲マンションもしくは一棟リノベーションマンション、または、賃貸戸数が２以上の新築賃貸マンションもしくは新築賃貸アパートであって、**価格または賃料が確定していないため**、直ちに取引することができない物件について、規則に規定する表示媒体を用いて、その本広告に先立ち、その取引開始時期をあらかじめ告知する広告表示をいう。
- 予告広告を実施した後に行う必要がある「**本広告**」は、予告広告と同一媒体（同一エリア）で行うほか、**インターネット広告のみ**でも実施できる。**インターネット広告のみ**で本公告を行うときは、当該予告広告において、**インターネットサイト名**（アドレスを含む。）及び**掲載予定時期**を明示しなければならない。
- 物件の名称として地名等を用いる場合において、当該物件が**公園、庭園、旧跡その他の施設または海**（海岸）、**湖沼もしくは河川の岸もしくは堤防**から直線距離で300メートル以内に所在している場合は、これらの名称を用いることができる。

公正競争規約施行規則からの出題予想

- 予告広告をする時点において、販売区画、販売戸数または賃貸戸数

話したくなる！　公正競争規約では新築についての定義も定められており、建築工事完了後１年未満であって、居住の用に供されたことがないものをいうと定められています。

が**確定していない場合**は、次にかかげる事項を明示すること。

ア　販売区画数、販売戸数または賃貸戸数が**未定である旨**

イ　物件の取引内容及び取引条件は、すべての**予定販売区画**、**予定販売戸数または予定賃貸戸数を基に表示している旨**及びその区画数または戸数

ウ　当該予告広告以降に行う本広告において販売区画数、販売戸数または賃貸戸数を明示する旨

・交通の利便については、公共交通機関を利用することが通例である場合には、**電車、バス等の交通機関の所要時間**は、朝の**通勤ラッシュ時**の所要時間を明示すること。この場合において、平常時の所要時間をその旨を明示して併記することができる。

・乗換えを要するときは、その旨を明示し、上記朝の通勤ラッシュ時の所要時間には**乗り換えにおおむね要する時間を含める**こと。

・**道路距離または所要時間を算出する際の物件の起点**は、物件の区画のうち駅その他施設に最も近い地点（マンション及びアパートにあっては、**建物の出入口**）とし、駅その他の施設の着点は、その施設の出入口（施設の利用時間内において常時利用できるものに限る。）とする。

・団地（一団の宅地または建物をいう。）と駅その他の施設との間の**道路距離または所要時間**は、取引する区画のうちそれぞれの施設ごとにその施設から**最も近い区画**（マンション及びアパートにあっては、その施設から最も近い建物の出入口）**を起点として算出した数値**とともに、その施設から**最も遠い区画**（マンション及びアパートにあっては、その施設から最も遠い建物の出入口）**を起点として算出した数値も表示すること**。

・宅地または建物の写真または動画は、取引するものを表示すること。ただし、取引する建物が**建築工事の完了前**である等その建物の写真または動画を用いることができない事情がある場合においては、**取引する建物を施工する者**が過去に施工した建物であり、かつ、一定

話したくなる！　不動産広告において徒歩による所要時間は、道路距離 80m につき 1 分間を要するものとして算出した数値を表示することが定められており、この規定も過去に複数回出題されています。

のものに限り、他の建物の写真または動画を用いることができる。この場合においては、**当該写真または動画が他の建物である旨**及び一定の場合に該当する場合は、**取引する建物と異なる部位**を、写真の場合は写真に接する位置に、動画の場合は画像中に明示すること。

・過去の販売価格を比較対照価格とする二重価格表示において、比較対照価格に用いる**過去の販売価格**は、値下げの直前の価格であって、値下げ前**２か月以上**にわたり実際に販売のために公表していた価格であること。

ここまでの出題予想知識の一覧を見て、「うぇ～」と思った読者もいるでしょう。しかし、ここからはコツコツと知識を蓄えるしか攻略法はありません。

一方、景表法（公正競争規約）の問題は、常識的な判断をもとに解いてみるというのも一つの方法です。自分が取引をする立場に立って考えてみて、ちょっとおかしいと感じたことが正解に結びつく、ということがあるのがこの問題の特徴です。

合格するのに満点は必要ない！

当然のことながら、試験に「合格」するためには、全問正解する必要はありません。その年度で前後しますが、35問前後の正解で合格できるということは、15問前後は間違ってもいいということになります。

このテーマのまとめ

・景表法（公正競争規約）の問題は、実質的には「公正競争規約施行規則」が出題される！

・過去問を見る限り、出題されているのは、主に「公正競争規約施行規則」の７条と９条であり、しかも、出題が被らないよう“まんべんなく”出題されている！

話したくなる!　試験が一部免除される登録講習は、誰でも受講できるわけではなく、宅建業に従事する人のみが受講できます。そして、受講すれば自動的に一部免除を受けるわけでもなく、登録講習後の「登録講習修了試験」の合格が必要です。

Theme 3　統計問題の学習方法

毎年問 48 で出題される「統計」に関する問題は、統計のあるポイントを押さえていれば正解できる。また、出題のベースとなる統計データもほぼ限られるので、それを紹介しよう。

統計問題は、試験直前に“特定の統計情報”をチェックしておけば、正解できます。何をチェックすればよいのかを紹介します。

用語解説　新設住宅着工戸数…国土交通省が「建築着工統計調査（住宅着工統計）」において公表するデータで、独立して居住できる住宅の着工戸数をいいます。国内における住宅投資の動向を見るうえで注目されています。

1 出題のベースとなる統計は、ほぼ５つに限られる！

統計の問題は、国土交通省から公表される新設住宅着工戸数（床面積10㎡超の住宅の着工数）や、地価公示（全国の標準地の土地の価格）などから、**その数値（データ）が正しいかどうか**という問題で出題されます。

毎年新しいデータを前提に出題されるので、この統計問題については、過去問題を学習していても得点できません。

また、宅建士試験は、毎年10月に行われますが、出題のベースとなる統計データは、試験が行われる年の６月頃に公表されるものも含まれるので、**試験直前に、最新の各統計データを確認**する必要があります。

面倒だなぁ…と思うかもしれませんが、過去問題を見ていると、**出題のベースとなる統計データは５つに限られています**。また、これら各データの**何を見ればよいのか**も、ここで紹介していきましょう。

統計問題は確実な得点源になる！
難しい内容ではありませんし、直前に統計データを押さえるだけで正解できるので、捨て問にするにはもったいない問題です！

なお、最新の統計資料については、公表されしだい本書専用ブログで順次更新していきます。巻末に記載のアドレスでご確認ください。

用語解説 地価公示…地価公示法に基づいて、国土交通省が毎年３月下旬に公表する土地評価です。全国２万6,000地点程度の「標準地」について、毎年１月１日時点を基準日として、その正常な価格を土地鑑定委員会が判定し、公示価格を公示します。

出題のベースとなる統計データは、以下の５つになります。稀にこれら以外からの出題もありますが、正解肢に絡むことはほぼありません。

出題のベースとなる統計データ

統計の名称	公表元	公表時期
①新設住宅着工戸数（年）	国土交通省	試験年の１月
②地価公示	国土交通省	試験年の３月
③年次別法人企業統計調査	財務省	試験前年の９月
④土地白書	国土交通省	試験年の６月
⑤国土交通白書	国土交通省	試験年の６月

2 最大のチェックポイントは、前年比「増」か「減」か？

さて、出題のベースとなる統計データがわかったところで、**これらのデータで押さえておきたい最大のポイント**は、**対前年比、または、対前年度データで、「増」か「減」か？**…という部分です。たとえば、次の統計問題を見てください。

過去問　令和５年度　問48

次の記述のうち、誤っているものはどれか。

2　令和５年地価公示（令和５年３月公表）によれば、令和４年１月以降の１年間の地価について、地方圏平均では、全用途平均、住宅地、商業地のいずれも２年連続で上昇し、工業地は６年連続で上昇した。
3　建築着工統計調査報告（令和４年計。令和５年１月公表）によれば、令和４年の民間非居住建築物の着工床面積は、前年と比較すると、工場及び倉庫は増加したが、事務所及び店舗が減少したため、全体で減少となった。

用語解説　法人企業統計調査…日本における営利法人等の企業活動の実態を把握するために、財務省が標本調査として実施している、統計法に基づく基幹統計調査です。このデータからは、全産業や不動産業の売上高が出題されます。

前ページの問題は、いずれも正しい記述です。

選択肢２について、令和４年１月以降の１年間の地価は、地方圏平均では、全用途平均・住宅地・商業地のいずれも２年連続で上昇し、上昇率が拡大しました。また、工業地は６年連続で上昇し、上昇率が拡大しました。

選択肢３について、令和４年の民間非居住建築物の着工床面積は、前年と比較すると、工場は 27.4%、倉庫は 1.3%増加しましたが、事務所が27.4%、店舗が2.7%減少したため、全体で0.5%の減少となりました。

押さえておく統計データは６つ！

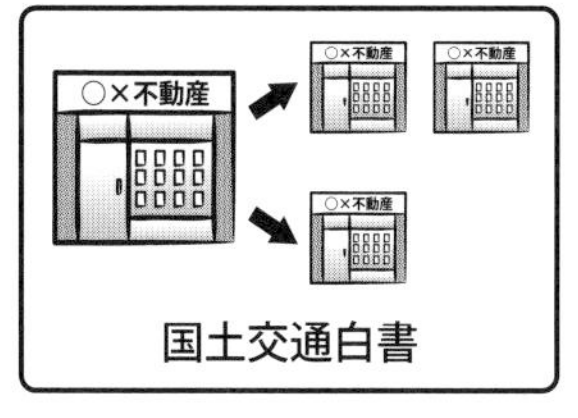

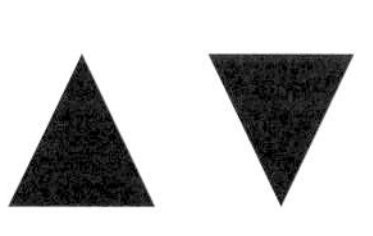

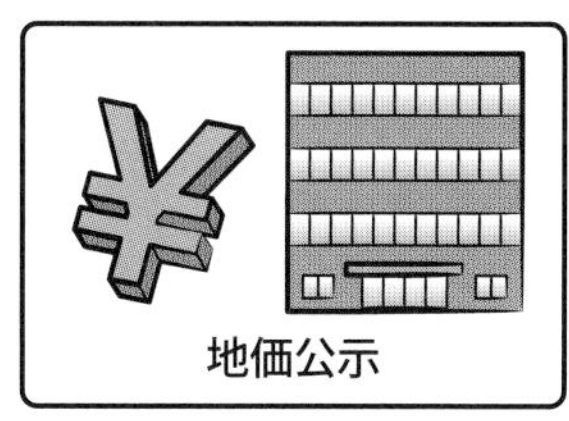

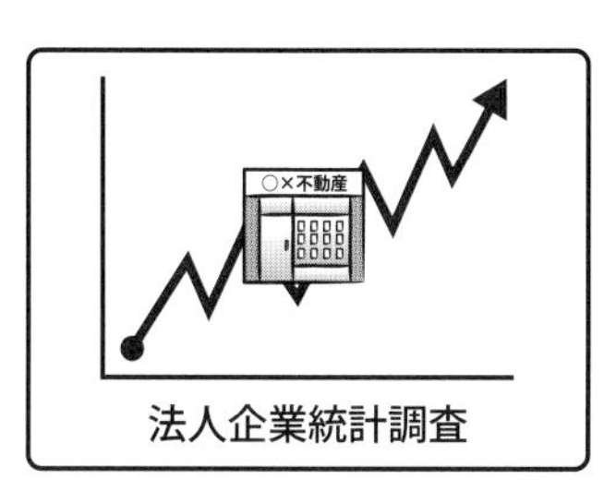

話したくなる!　土地白書は土地の利用や所有・取引といった動向と、土地に関する基本施策について、毎年、政府が国会に報告するものです。また、国土交通白書は国土交通省の施策全般に関する年次報告として、公表しているものです。

3 具体的に何の「増」「減」を確認する?

では、各種**データのうち、何を具体的に確認**すればよいのでしょうか。**これをまとめたのが以下の表**です。確認すべきものの数は少なくありませんが、これらを確認しておけば、統計問題は攻略できるはずです！

各種統計データで確認すべき内容

統計の名称	確認すべき内容
①新設住宅着工戸数（年）	**持家、貸家、分譲住宅（全部）**、分譲住宅（マンション）、分譲住宅（一戸建て住宅）について、前年比の増減
②地価公示	・**住宅地**の**全国平均**、**三大都市圏平均**、地方圏平均について、前年比の増減 ・**商業地の全国平均**、三大都市圏平均、地方圏平均について、前年比の増減
③年次別法人企業統計調査	・**不動産業の売上高**について、前年比の増減 ・**不動産業の経常利益**について、前年比の増減 ・**全産業の売上高**について、前年比の増減
④土地白書	**土地所有権の移転登記の件数**について、前年比の増減
⑤国土交通白書	**宅建業者数**について、前年比の増減

このテーマのまとめ

- 統計問題は、出題される統計データがほぼ限られている。
- 試験直前に、ここで紹介した統計データの「増減」を確認しておけば、統計問題は攻略できる！

話したくなる! 受験会場にもよりますが、試験の当日、大学等の受験会場の入口付近において、資格試験の予備校等が自社の宣伝等をかねて、試験直前の知識確認のパンフレットなどを配布しており、それに直近の統計情報も掲載されていることが多いです。

Theme 4 土地と建物の問題について、出題イメージをつかもう！

毎年問49と問50において、土地と建物の知識が問われます。シンプルで易しい問題が多いので、コツコツと知識を積み上げれば正解できる問題です。まずは出題イメージをつかみましょう。

宅建士試験のラストは、問49と問50で出題される土地と建物についての知識です。どのような問題が出るのかを確認しつつ学習しましょう。

話したくなる! 問題文中に「常に○○」といったフレーズがある場合、その選択肢は誤っている可能性が高くなります。原則として、法律というものは原則と例外で成り立っており、どのような場合であっても、“絶対にこう”というケースは少ないからです。

1 「土地」については、宅地に適しているかが問われます

毎年、**問 49 では「土地」に関する知識**が問われます。問われる内容はシンプルであり、要するに、**その土地（場所）が宅地に適しているか？**…にかかわる知識が問われます。

たとえば、**「扇状地（せんじょうち）」**と**「三角州（さんかくす）」**という土地があります。**扇状地**は、山地から河川により運ばれてきた**砂礫（されき）等が堆積（たいせき）**して（積み重なって）形成された地盤です。

砂礫層の地盤は、水はけが良く、また、**構造物の基礎について十分な支持力を得ることができるので、宅地に適しています。**

他方、**三角州**は、**河川の河口付近に見られる軟弱な地盤**です。**洪水や高潮、地震に弱く、宅地に適していません。**

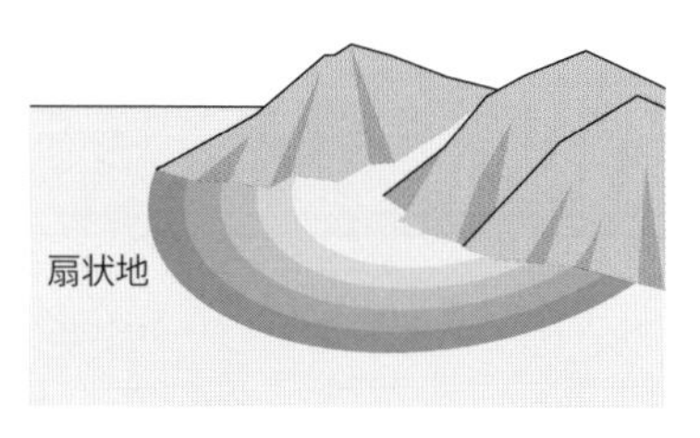

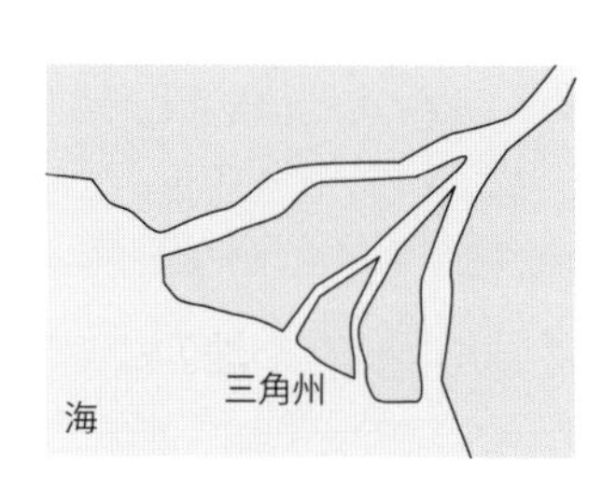

では、次の問題を見てください。

過去問　平成 30 年度　問 49

土地に関する次の記述のうち、最も不適当なものはどれか。

4　低地の中で特に災害の危険度の高い所は、扇状地の中の微高地、自然堤防、廃川敷となった旧天井川等であり、比較的危険度の低い所が沿岸部の標高の低いデルタ地域、旧河道等である。

用語解説 崖錐堆積物…崖錐（がいすい）とは、急斜面の上から落ちてきた岩屑が、その麓に溜まってできた半円錐形の地形のことです。小岩や岩片からなり、基盤との境付近は水の通り道となるため、土石流の危険が高く、地すべりも生じやすい場所です。

前ページの**選択肢4は誤っています**。そして、本問は「最も不適当なもの」を選ぶ問題なので、そのまま**正解**となります。

扇状地は、**砂礫等が堆積**して形成された地盤です。**砂礫層の地盤は、構造物の基礎について十分な支持力を得ることができるので、宅地に適しています**。そうであるのに、本肢では「扇状地の中の微高地」が、「低地の中で特に災害の危険度の高い所」とされているため、**誤っている**のです。

「土地」の知識が多いほど、正解率 UP！
ここまでの解説を見て、内容はわかりますよね。「土地」の知識に関する問題では、このような知識が問われます。あとは試験本番までに、どれだけ多くの土地の知識を吸収できるかです。

2　主な「土地」の知識を紹介しましょう！

そうとなったら、あとはあらゆる土地に関する知識をまとめて覚えるだけです。ここではよく出題されるものを中心に、先ほど紹介した「扇状地」と「三角州」以外の、主な土地の知識を紹介しておきましょう。

丘陵地（きゅうりょうち）　**なだらかな起伏や小山（丘）**が続く、**低い山地**のこと。

・地　盤　→**安定**。
・水はけ　→**良い**。
　よって、地震や洪水に対して、**比較的安全**といわれる。
・ただし、**縁辺部（周囲の部分）**は、**集中豪雨等でがけ崩れを起こす**ことがあり、**宅地に適していない**。山腹で**傾斜角が25度を超えると急激に崩壊地が増加**する。

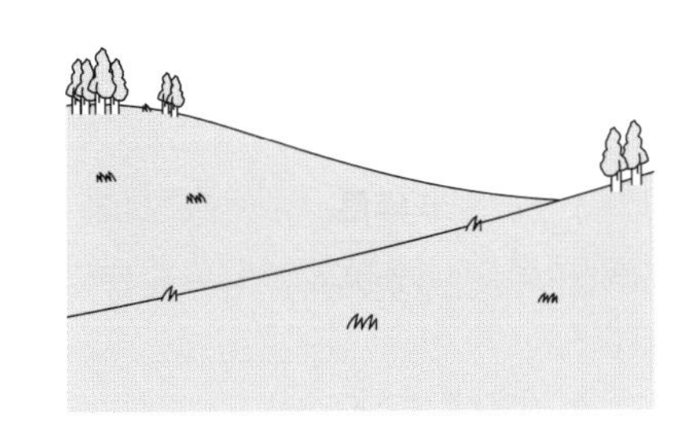

用語解説　段丘（だんきゅう）…試験では、たまに「段丘」という地形も出てきます。海岸や湖岸に沿って、平坦な面と急ながけが階段状に配列している地形です。縁辺部においては、集中豪雨などによりがけ崩れの危険がある点は、丘陵地等と同じです。

台地（だいち）　**表面が平坦**で、**周囲より高く**、一方ないし四方をがけで縁どられた**台状の地域**のこと。

・地　盤　→**安定。**
・水はけ　→**良い。**
　よって、**宅地に適している**といわれる。
・ただし、**縁辺部（周囲の部分）**は、**集中豪雨等でがけ崩れを起こす**ことがあり、**宅地に適していない。**山腹で**傾斜角が 25 度を超えると急激に崩壊地が増加**する。
・また、**台地上の浅く広い谷間**では、**集中豪雨時に水に浸かりやすい**ので、**宅地には適していない。**

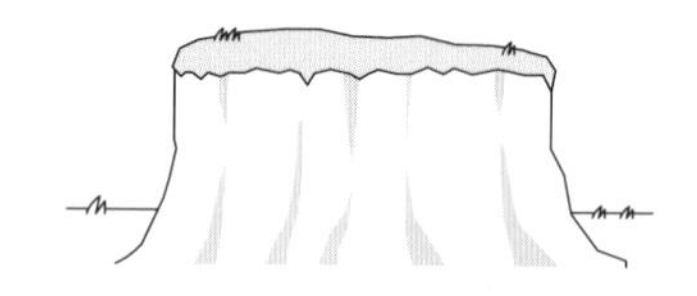

丘陵地と台地の知識を確認したところで、次の問題を見てください。

過去問　平成 26 年度　問 49

> 土地に関する次の記述のうち、最も不適当なものはどれか。
>
> 4　台地や丘陵の縁辺部は、豪雨などによる崖崩れに対しては、安全である。

この**選択肢 4** は**誤っています**。そして、本問は「最も不適当なもの」を選ぶ問題なので、そのまま**正解**となります。**台地や丘陵地であっても「縁辺部」**では、**豪雨などによるがけ崩れの可能性がある**ので、**安全ではありません。**

本問を見ても「土地」に関する問題は、難しい問題ではないことがわかると思います。

用語解説　地すべり…粘土質の地質に重なった地層など、特定の地質構造を有する地域に集中して発生しやすいです。地すべり地は、上部が急斜面で、中部が緩やかな斜面、下部が急斜面といった独特の地形（地すべり地形）を形成していることが多くなっています。

埋立地（うめたてち）　湾、湖、低湿地などに廃棄物や土砂などを大量に積み上げることによって、人工的に造成された土地のこと。

・地　盤　→**軟弱**。
・**地震により液状化現象が発生**することがあり、**地盤沈下が起こりやすく、洪水、高潮、津波に弱い**ので、十分な対策が必要。
・**液状化現象**とは、地震の際に、**地下水位の高い砂地盤**が振動により**液体状**になる現象。これにより比重の重い建物が埋もれたり、倒れたりすることがある。

干拓地（かんたくち）　海浜や湖沼などで堤防を築いて排水し、陸地とした土地のこと。

もともと水があったところなので…
・地　盤　→**軟弱**。
・水はけ　→**悪い**。
・**不等沈下**（ふとうちんか）を起こしやすく、**地震により液状化現象が発生**することがある。
・**宅地には、適さない**といわれる。
・上記の**「埋立地」**と**「干拓地」**を比べた場合、一般的に**「干拓地」は、海面より数メートル低い**ことが多く、**「埋立地」は海面より高い**ことが多いので、**「埋立地」のほうが宅地には適している。**

過去問　平成29年度　問49

土地に関する次の記述のうち、最も不適当なものはどれか。

4　埋立地は、一般に海面に対して比高を持ち、干拓地に比べ、水害に対して危険である。

用語解説　不等沈下…地盤の局部的な強度不足によって、構造物などが不均一に沈下することをいいます。イメージとしては、地盤が部分的に沈下してしまい、でこぼこの状態で建物も沈下してしまうイメージです。

この**選択肢4**は**誤っています**。そして、本問は「最も不適当なもの」を選ぶ問題なので、そのまま**正解**となります。

3 「建物」については、構造と材料が問われます

次に、毎年問50で出題される「建物」に関する知識の問題の話に入ります。「建物」については、**構造と材料についての知識**が問われます。

たとえば、**次の3つの建築構造**について、皆さんも、どこかで耳にしたことくらいはあると思います。

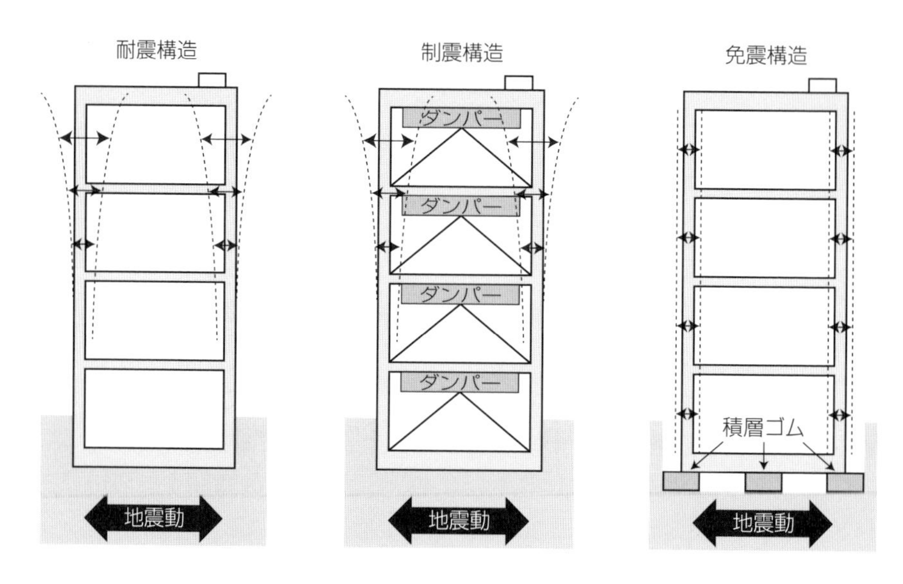

「耐震」構造、**「制震」**構造、**「免震」**構造の3つです。

「耐震」構造とは、**建物自体の剛性（強さ）や粘り（変形能力）を高めて、**地震力に抵抗する建築構造です。

「制震」構造とは、**建物に入った地震力を吸収**できるよう、**ダンパー**などを設置する建築構造です。

そして、**「免震」**構造とは、**基礎（下部構造）と建物本体（上部構造）との間にゴムなどのクッション**を設けて、地震による揺れを低減させる建

用語解説 靭性（じんせい）…その素材等の粘り強さと考えればよいでしょう。たとえば、地震が起きた際に、急に脆く壊れるのではなくて、変形しつつも耐えることのできる強さ、というイメージです。靭性の大きい材料で作られた建築物は、靭性が大きくなります。

築構造です。この説明を読んで、「あぁ…そうだね…」と理解することができたと思います。では、次の問題を見てください。

過去問　令和元年度　問 50

建築物の構造に関する次の記述のうち、最も不適当なものはどれか。

1　地震に対する建物の安全確保においては、耐震、制震、免震という考え方がある。
2　制震は制振ダンパーなどの制振装置を設置し、地震等の周期に建物が共振することで起きる大きな揺れを制御する技術である。
3　免震はゴムなどの免震装置を設置し、上部構造の揺れを減らす技術である。
4　耐震は、建物の強度や粘り強さで地震に耐える技術であるが、既存不適格建築物の地震に対する補強には利用されていない。

選択肢１～３について、前ページの内容を理解していれば解答できます。どれも**正しい**内容です。すると、消去法によって、本問の正解は選択肢**4**とわかります。

ちなみに、**「既存不適格建築物」**とは、ここでは**現在の建築基準法の耐震関係の規定に適合しない**もののことであり、その耐震補強には「耐震」の技術も**利用されています**。

これが建物の「構造」に関する出題例です
「建物」の「構造」に関する問題のイメージができたのではないでしょうか。このような構造は、こういう特性がある…といった知識が出題されます。

用語解説　既存不適格建築物…建築基準法の規定の施行や改正の際、すでに建っている建築物や工事中の建築物で、現行の規定に適合していない建物のことです。基本的には、現行の建築基準法の規定に適合しないすべての建物が対象となります。

4 主な建築の「構造」を確認しましょう

では、主な建築の「構造」を確認していきましょう。この点、鉄筋(てっきん)コンクリート造(ぞう)、鉄骨鉄筋(てっこつてっきん)コンクリート造(ぞう)、鉄骨造(てっこつぞう)がよく問われています。

鉄筋コンクリート造は、鉄筋を配置して柱やはりなどの基本構造を組み、そこにコンクリートを流し込んで造る工法です。圧縮や熱や酸に弱い鉄筋について、圧縮や熱に強いアルカリ性のコンクリートで包み込みます。

鉄骨鉄筋コンクリート造は、鉄骨を取り巻くように鉄筋を配置して型枠で囲み、コンクリートを流し込んで一体化させて造る工法です。

鉄骨造は、柱やはりなどの基本構造に鉄骨を使用する工法です。鉄骨は強度が高く、自重が小さく、靭性が大きいため、柱の間隔が大きい空間を必要とする工場や倉庫などに採用されます。

各工法の主な特徴

工　法	特徴等
鉄筋コンクリート造	・**耐火**性、**耐久**性、**耐震**性、**耐風**性に優れる。 ・骨組みの形式は**ラーメン**式の構造が一般的。 ・**アルカリ性であるコンクリート**が、酸性物質により**中性化すると、鉄筋に錆が発生し、コンクリートのひび割れ**を招く。**耐久性を高める**には、**中性化防止とコンクリートのひび割れ防止を行う**とよい。
鉄骨鉄筋コンクリート造	・**「鉄筋コンクリート造」より、強度と靭性を高めた構造**。 ・高層建物に多く採用される。
鉄骨造	・**不燃構造だが、耐火構造ではない**。**耐火構造にするためには、耐火材料による耐火被覆(ひふく)が必要**。 ・風や地震などによる**揺れの影響**を受けやすい。 ・外壁の目地のメンテナンスが必要となる。

用語解説　不燃と耐火…どちらも燃えづらいと考えればよいですが（燃えないわけではない）、「不燃」よりも「耐火」のほうが燃えづらいというイメージでよいでしょう。「不燃」よりも「耐火」のほうが、燃えづらいので逃げるための時間を稼げるイメージです。

5 主な「建築材料」についても確認しましょう

「建物」に関する問題では、「材料」についても出題されます。これも主なものを紹介しますので、確認しておきましょう。

主な建築材料の特徴等

材　料	特徴等
木材	・**含水率が小さいと、強度が高まる**。 　→**乾燥**しているほうが強い。 ・骨組みの形式は**ラーメン**式の構造が一般的。 ・辺材よりも心材（中心部に近い部分）のほうが腐朽（ふきゅう）しにくく、虫害も発生しにくい。
（普通）コンクリート	・一般的にコンクリートは、水、セメント、砂、**砂利**を混練（こんれん）（混ぜて練った）したもの。 　→「**モルタル**」は、水、セメント、砂を混練したもの。 ・常温、常圧の状態における**熱膨張率は、鉄筋とほぼ等しい**。
鉄筋	・**炭素の含有量が多い**ほど、**硬くなり、引張強度が大きく**なる。

このテーマのまとめ

・例年問49で出題される「土地」の知識は、宅地に適しているかという観点の問題が出題される！
・例年問50で出題される「建物」の知識は、「構造」と「材料」に関する問題が出題される！

用語解説　ラーメン式（構造）…柱とはりを一体化した骨組構造のことをいいます。柱とはりによる「枠」によって建物を構成するため、壁を一切なくしたり、壁の位置を自由に移動することができます。「ラーメン」とは、ドイツ語で「枠」「額縁」の意味です。

本書の正誤情報や、本書編集時点から令和７年４月１日（令和６年度試験の出題法令基準日〈予定〉）までに施行される法改正情報等は、下記のアドレスでご確認ください。
http://www.s-henshu.info/tkmg2409/

上記掲載以外の箇所で正誤についてお気づきの場合は、**書名·発行日·質問事項**（**該当ページ·行数·問題番号**などと**誤りだと思う理由**）·**氏名·連絡先**を明記のうえ、お問い合わせください。
・webからのお問い合わせ：上記アドレス内【正誤情報】へ
・郵便またはFAXでのお問い合わせ：下記住所またはFAX番号へ
※電話でのお問い合わせはお受けできません。

［宛先］ **コンデックス情報研究所**
『マンガでわかる はじめての宅建士 '25 年版』係
住　所：〒 359-0042　所沢市並木 3-1-9
ＦＡＸ番号：04-2995-4362（10:00 ～ 17:00　土日祝日を除く）

※本書の正誤以外に関するご質問にはお答えいたしかねます。また、受験指導などは行っておりません。
※ご質問の受付期限は、2025 年 10 月の試験日の 10 日前必着といたします。
※回答日時の指定はできません。また、ご質問の内容によっては回答まで 10 日前後お時間をいただく場合があります。
あらかじめご了承ください。

マンガ・イラスト：ひらのんさ

編著：コンデックス情報研究所
1990 年 6 月設立。法律・福祉・技術・教育分野において、書籍の企画・執筆・編集、大学および通信教育機関との共同教材開発を行っている研究者・実務家・編集者のグループ。

マンガでわかる はじめての宅建士 '25年版

2024年12月10日発行

編　著　コンデックス情報研究所（じょうほうけんきゅうしょ）

発行者　深見公子

発行所　成美堂出版
〒162-8445　東京都新宿区新小川町1-7
電話(03)5206-8151 FAX(03)5206-8159

印　刷　広研印刷株式会社

ISBN978-4-415-23917-0
落丁·乱丁などの不良本はお取り替えします
定価はカバーに表示してあります